W9-CUO-150

Primera edición: Noviembre 2005

Edición: Bainet media S.A.
Texto: Karlos Arguiñano
Información nutricional y análisis: Dra. Elena Díaz Ereño
Fotografías: Laura 10m
Cubierta, diseño interior y maquetación: RTO publicidad S.L.
Fotomecánica: GRAFO S.A.

I.S.B.N.: 84-96177-20-3
Depósito legal: BI-1798-2005
Impreso y encuadernado en GRAFO S.A.
Impreso en España (Printed in Spain)

Prólogo

Este libro que ahora tienes en tus manos es una selección de las recetas que a diario cocino en televisión. He buscado que haya variedad. Sé que esto es de gran ayuda para las personas que tienen que preparar la comida todos los días. También he tenido en cuenta la temporada. Siempre es más fresco y más barato el producto en su temporada que fuera de ella. Y por último, he buscado ingredientes sencillos, al alcance de todo el mundo. Si alguno de ellos no lo encuentras o no te gusta, sustitúyelo por otro parecido que tengas a mano o te guste más. Ya sabes que lo importante en las recetas es el resultado final, que sean ricas.

Para que no haya dudas a la hora de cocinar estas recetas van acompañadas de las fotos del paso a paso. También he incluido la información dietética de cada plato, para que sepáis exactamente su composición nutricional.

Todo esto es posible gracias al gran equipo con el que trabajo. Para hacer *Karlos Arguiñano en tu cocina* me he rodeado de un equipazo, de lo contrario no sería posible.

Espero que disfrutéis con este libro y sobre todo cocinando las recetas que con tanto cariño hemos preparado para todos vosotros.

Karlos Arguiñano

Información nutricional

Cada receta está acompaña de un cuadro que contiene su análisis nutricional. Es como el etiquetado nutricional de un producto.

Te ayudamos a comprenderlo:

La primera línea indica el valor calórico de la receta, que representa la energía que proporciona ese plato y se expresa en kilocalorías (Kcal). Después indicamos los tres tipos de nutrientes que aportan esas calorías:

- proteínas, glúcidos (o hidratos de carbono) y grasas.

Se cuantifican en gramos y su cantidad variará dependiendo de los ingredientes de la receta. Los arroces, legumbres y patatas serán más ricos en hidratos de carbono, y las carnes, pescados y huevos en proteínas y grasas.

A continuación, dada la importancia del tipo de grasas que tomamos en la dieta, consideramos oportuno especificar los tres tipos de grasas que contienen las recetas:

- las monoinsaturadas, las poliinsaturadas y las saturadas

- así como la cantidad de colesterol que aporta cada una.

Todas ellas son necesarias y debemos cuidar la proporción en que las tomamos. Las recetas que os presentamos son ricas en ácidos grasos monoinsaturados ya que se elaboran con aceite de oliva y la mayoría de ellas contienen menos de 200 mg de colesterol. Actualmente se recomienda una ingesta, por término medio, no superior a 300 mg/día. No os preocupéis, con la variedad de menús se puede conseguir este objetivo.

Por último, como la fibra es tan necesaria para el correcto funcionamiento del intestino no podía faltar en la información nutricional. Recomendamos las recetas de ensaladas, verduras y especialmente las de legumbres, puesto que con un plato de alubias cumplimos la recomendación nutricional.

Dra. Elena Díaz Ereño

Índice

ensaladas

ENSALADILLA DE PRIMAVERA

Primavera

Ingredientes

8 personas

4 patatas
3 huevos
3 zanahorias
200 g de judías verdes
200 g de guisantes pelados
200 g de jamón ibérico
1 cucharada de alcaparras
1 diente de ajo
agua
½ l de mahonesa
sal

Elaboración

Pon los huevos a cocer en una cazuela con agua y una pizca de sal. En 10-12 minutos estarán duros. Deja que se templen, pélalos y pica 2 en daditos. Reserva el otro para decorar.

Lava las patatas, colócalas en la olla rápida, agrega agua y una pizca de sal. Limpia las judías y pela las zanahorias. Pícalas (reserva una zanahoria entera) en dados pequeños y colócalas sobre el accesorio para cocer al vapor. Añade también los guisantes y la zanahoria entera. Sazona y coloca el accesorio sobre las patatas, pon la tapa y deja cocer durante un par de minutos desde el momento en que empiece a salir el vapor. Destapa y deja enfriar.

Pon los huevos picados en un recipiente grande, pica el diente de ajo, las alcaparras y el jamón finamente e incorpóralos. Vierte la mahonesa, mezcla suavemente, pela las patatas, córtalas en dados, agrégalos junto con las verduras y mezcla nuevamente.

Sirve la ensaladilla en una fuente amplia. Corta el huevo en gajos y la zanahoria en tiras finas y adorna la ensaladilla.

Análisis nutricional
(ración)

kilocalorías	664
proteínas	18 g
carbohidratos	19 g
total grasas	58 g
monoinsaturadas	33 g
poliinsaturadas	10 g
saturadas	10 g
colesterol	239 mg
fibra	4 g

Deja que se templen, pélalos y pica 2 en daditos. Reserva el otro para decorar.

Añade también los guisantes y la zanahoria entera.

Pon los huevos picados en un recipiente grande, pica el diente de ajo, las alcaparras y el jamón finamente e incorpóralos.

Sirve la ensaladilla en una fuente amplia. Corta el huevo en gajos y la zanahoria en tiras finas y adorna la ensaladilla.

El toque de Karlos

Puedes variar el sabor y color de la mahonesa, basta con añadirle una pizca del ingrediente que más te guste: ajo, curry, mostaza, perejil, tinta de chipirón, pimentón, carne de pimiento choricero, remolacha, perejil...

ENSALADA DE ESPÁRRAGOS, HUEVO Y PATATA

Primavera

Ingredientes

6 personas

12 espárragos blancos
14 espárragos verdes
6 patatas nuevas pequeñas
3 huevos
hojas variadas de lechugas
agua
aceite de oliva virgen
vinagre
sal
azúcar

Elaboración

Pon a cocer los huevos y las patatas en una cazuela con agua y una pizca de sal. Los huevos cocerán en 10-12 minutos y las patatas en 15-18. Deja templar, pela las patatas y los huevos y córtalos por la mitad.

Corta la parte inferior del tallo de los espárragos blancos, pélalos y ponlos a cocer en una cazuela con agua, una pizca de sal y una pizca de azúcar. Cuécelos durante 10-12 minutos.

Pica 2 espárragos verdes, colócalos en una jarra, cúbrelos con aceite y tritúralos con una batidora eléctrica. Añade una pizca de sal y un chorrito de vinagre y deja reposar. Si hiciera falta, cuélala. Retira la parte inferior del resto de los espárragos verdes y ponlos a freír en una sartén con un poco de aceite. En 5 minutos estarán a punto.

Limpia las hojas de lechuga, córtalas y escúrrelas bien.

Sirve los ingredientes a tu gusto, sazónalos y alíñalos con la vinagreta de espárrago verde.

Análisis nutricional
(ración)

kilocalorías	268
proteínas	9 g
carbohidratos	18 g
total grasas	18 g
monoinsaturadas	11 g
poliinsaturadas	2 g
saturadas	3 g
colesterol	102 mg
fibra	4 g

Deja templar, pela las patatas y los huevos y córtalos por la mitad.

Corta la parte inferior del tallo de los espárragos blancos, pélalos y ponlos a cocer en una cazuela.

Pica 2 espárragos verdes, colócalos en una jarra, cúbrelos con aceite y tritúralos con una batidora eléctrica.

Limpia las hojas de lechuga, córtalas y escúrrelas bien.

El toque de Karlos

El agua en el que se han cocido los espárragos toma un sabor delicioso y es excelente por los nutrientes que contiene. Puedes aprovecharla para hacer una sopa o para cocer verduras.

ENSALADA DE TOMATE CON BONITO MARINADO

Verano

Ingredientes

4 personas

500 g de bonito (lomos)
2 tomates grandes
1 cebolleta
1 pimiento verde
aceite de oliva virgen
vinagre
sal

Elaboración

Pon abundante aceite en una cazuela, agrega un buen chorro de vinagre y caliéntalo en una cazuela.

Corta el lomo del bonito en filetes de 2 centímetros de grosor, sazónalos y extiéndelos sobre una fuente. Vierte encima el aceite y el vinagre y deja marinar durante 15 minutos.

Limpia los tomates y corta cada uno en 4 rodajas de 2 centímetros. Corta la cebolleta y el pimiento en aros.

Monta la ensalada, colocando primero las rodajas de tomate; encima de cada una pon unos aros de cebolleta (sin soltar), un trozo de bonito marinado y finaliza con unos aros de pimiento y de cebolleta (sueltos). Aliña con el aceite y el vinagre de la marinada y sazónala.

Análisis nutricional
(ración)

kilocalorías	414
proteínas	30 g
carbohidratos	6 g
total grasas	30 g
monoinsaturadas	12 g
poliinsaturadas	5 g
saturadas	5 g
colesterol	69 mg
fibra	2 g

Pon abundante aceite en una cazuela, agrega un buen chorro de vinagre y caliéntalo en una cazuela.

Vierte encima el aceite y el vinagre y deja marinar durante 15 minutos.

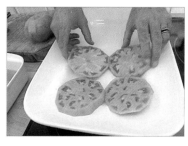

Limpia los tomates y corta cada uno en 4 rodajas de 2 centímetros. Corta la cebolleta y el pimiento en aros.

Monta la ensalada, colocando primero las rodajas de tomate; encima de cada una pon unos aros de cebolleta (sin soltar).

El toque de Karlos

Más del 90 por 100 de la composición de las hortalizas, base de las ensaladas, es agua. Comer ensalada es una forma sencilla y rápida de hidratar el cuerpo en los días calurosos.

ENSALADA DE PASTA, QUESO Y SARDINA VIEJA

Verano

Ingredientes

4 personas

hojas variadas de lechuga (lolo, roble, escarola...)
2 sardinas viejas
200 g de pasta
150 g de queso curado
2 pimientos morrones
1 diente de ajo
agua
aceite de oliva virgen
vinagre
sal

Elaboración

Limpia los pimientos y colócalos en una fuente apta para el horno. Riégalos con un poco de aceite y sazónalos. Introduce en el horno a 180 grados durante 25-30 minutos. Deja que se templen, pélalos y córtalos en tiras. Pica el diente de ajo finamente y añádelo a los pimientos.

Corta la cabeza y la cola de las sardinas y con una puntilla retírales las escamas y la piel y saca los lomos. Ponlas a macerar durante 24 horas en un recipiente con aceite.

Pon abundante agua a cocer en una cazuela. Añade un chorro de aceite y una pizca de sal. Cuando empiece a hervir agrega la pasta. Deja cocer según indicaciones del fabricante. Escúrrela y refréscala.

Limpia las hojas de lechugas, escúrrelas y trocéalas. Colócalas en un bol, añade la pasta y mezcla bien. Corta el queso en triángulos y pica a tu gusto los lomos de sardina vieja. Incorpóralos a la ensalada. Sirve los pimientos al lado. Aliña todo con un poco de aceite, vinagre y sal.

Análisis nutricional
(ración)

kilocalorías	394
proteínas	17 g
carbohidratos	26 g
total grasas	24 g
monoinsaturadas	10 g
poliinsaturadas	4 g
saturadas	7 g
colesterol	37 mg
fibra	1 g

Limpia los pimientos y colócalos en una fuente apta para el horno. Riégalos con un poco de aceite y sazónalos.

Pon las sardinas a macerar durante 24 horas en un recipiente con aceite de oliva.

Cuando empiece a hervir, agrega la pasta.

Limpia las hojas de lechugas, escúrrelas y trocéalas. Colócalas en un bol, añade la pasta y mezcla bien.

El toque de Karlos

Las sardinas viejas se pueden utilizar en el momento, pero si queréis que queden más jugosas, límpialas y filetéalas de víspera y ponlas a macerar en aceite de oliva durante 24 horas por lo menos.

ENSALADA DE BERROS, TOMATE Y AGUACATE

Verano

Ingredientes

4 personas

3 patatas
3 huevos
2 aguacates maduros
2 tomates maduros
1 cebolla
2 manojos de berros
agua
aceite de oliva virgen
vinagre
sal
unas hojas de cilantro fresco

Elaboración

Pon las patatas y los huevos a cocer en una cazuela con agua. A los 10 minutos retira los huevos y deja cocer las patatas durante otros 10-15 minutos más. Pela los huevos y las patatas y corta éstas en rodajas.

Pela los tomates, retírales las pepitas, córtalos en dados y colócalos en un recipiente pequeño. Pica la cebolla en juliana fina y el cilantro finamente y añádelos. Vierte aceite y vinagre, sazona y mezcla un poco. Deja macerando durante 15 minutos.

Lava y corta los berros, eliminando los tallos más gruesos, si los hubiera. Pela y corta los aguacates en láminas finas.

Puedes servirlo en ración familiar (a tu gusto) o en ración individual. En este caso, coge un aro, rellénalo con rodajas de patata, encima pon una capa de la mezcla de tomate y cebolla (escurrida), y finaliza con las rodajas de aguacate. Ralla encima el huevo cocido, coloca alrededor del aro unos berros, sazónalos y riega todo con la vinagreta del tomate.

Pela los tomates, retírales las pepitas, córtalos en dados y colócalos en un recipiente pequeño.

Vierte aceite y vinagre, sazona y mezcla un poco. Deja macerando durante 15 minutos.

Análisis nutricional
(ración)

kilocalorías.................................. 413
proteínas.............................. 10 g
carbohidratos........................ 24 g
total grasas........................... 32 g
   monoinsaturadas...............19 g
   poliinsaturadas................... 3 g
   saturadas........................... 4 g
colesterol.........................154 mg
fibra.. 6 g

Pela y corta los aguacates en láminas finas.

Ralla encima el huevo cocido, coloca alrededor del aro unos berros, sazónalos y riega todo con la vinagreta del tomate.

16

El toque de Karlos

Con tomate, aguacate, y cebolleta se puede preparar un delicioso y saludable aperitivo llamado guacamole. Se aplasta el aguacate con un tenedor y se le añade el tomate rallado, la cebolla picada, el cilantro fresco y se aliña. Si lo van a tomar niños, remoja previamente la cebolla en agua para que no pique.

ENSALADA DE PULPO

Otoño

Ingredientes

4 personas

1 pulpo pequeño
hojas de lechugas variadas
8 rabanitos
4 patatas
4 patatas azules
½ cebolleta
un trozo de pimiento verde
un trozo de pimiento rojo
agua
aceite de oliva virgen
vinagre
sal
pimentón

Elaboración

Limpia las hojas de lechuga, escúrrelas, trocéalas, colócalas en el centro de una fuente amplia y sálalas. Para la vinagreta, pica la cebolleta y los pimientos finamente y coloca todo en un bol pequeño. Sazona, cubre con aceite y riega con un buen chorro de vinagre. Bate todo bien y deja macerar.

Pon agua a cocer en la olla rápida. Introduce el pulpo 3 veces para asustarlo (sacar y meter) y déjalo dentro. Sazona y agrega las 4 patatas peladas. Tapa la olla y deja cocer durante 8 minutos desde el momento en que empiece a salir el vapor. Cuece aparte las patatas azules.

Retira las patatas y el pulpo de la olla. Corta las patatas en rodajas gruesas, colócalas en una fuente, sálalas, alíñalas con un poco del aceite de la vinagreta y espolvoréalas con un poco de pimentón.

Corta el pulpo en trozos de bocado, sálalo y alíñalo con la vinagreta. Pela las patatas azules, córtalas en cuartos, sálalas y alíñalas con un poco de la vinagreta. Extiende el pulpo alrededor de las hojas de lechuga y distribuye también los cuartos de patata azul. Coloca los rabanitos sobre las hojas de lechuga y aliña un poco.

Análisis nutricional
(ración)

kilocalorías	451
proteínas	26 g
carbohidratos	51 g
total grasas	17 g
monoinsaturadas	10 g
poliinsaturadas	2 g
saturadas	2 g
colesterol	222 mg
fibra	7 g

Sazona, cubre con aceite y riega con un buen chorro de vinagre. Bate todo bien y deja macerar.

Pon agua a cocer en la olla rápida. Introduce el pulpo 3 veces para asustarlo (sacar y meter) y déjalo dentro.

Alíña las patatas con un poco del aceite de la vinagreta y espolvoréalas con un poco de pimentón.

Corta el pulpo en trozos de bocado, sálalo y alíñalo con la vinagreta.

El toque de Karlos

La carne del pulpo es muy dura; para ablandarlo hay quien recomienda golpearlo contra las rocas en el momento de la pesca, otra opción es la congelación porque ablanda las fibras. De todas formas, yo os recomiendo asustarlo (sacar y meter) 3 veces en el agua hirviendo antes de ponerlo a cocer.

ENSALADA DE PATATAS, MORRONES Y BACALAO

Otoño

Ingredientes

4 personas

½ kg de bacalao desalado
4 patatas
4 pimientos morrones
8-10 aceitunas negras
2 tomates secos
agua
aceite de oliva virgen
sal
perejil

Elaboración

Pon los tomates secos a cocer en una cazuela durante un par de minutos. Escúrrelos y ponlos en aceite. Limpia las patatas y ponlas a cocer en la olla rápida con un poco de agua y una pizca de sal. Tapa y deja cocer durante 5 minutos desde el momento en que empiece a salir el vapor. Deja que se enfríen, pélalas y córtalas en rodajas y resérvalas.

Lava los pimientos, ponlos en una fuente apta para el horno, sazónalos y riégalos con un poco de aceite. Introduce en el horno a 180 grados durante 35 minutos. Retíralos, déjalos templar, pélalos y córtalos en tiras.

Pon los trozos de bacalao en una sartén con aceite. Confítalos durante 10 minutos a fuego muy lento. Retira los trozos de bacalao, déjalos templar y sácalos en láminas.

Cuando el aceite de la sartén se temple un poco lígalo con una varilla manual.

Pon el aceite ligado en un bol, agrega las aceitunas negras y los tomates bien picaditos, un poco de perejil picado y mezcla bien. Extiende las rodajas de patata sobre una fuente amplia, coloca encima las tiras de pimiento y las láminas de bacalao. Riégalo con el aliño de aceite y espolvorea con un poco de perejil picado.

Análisis nutricional
(ración)

kilocalorías	402
proteínas	37 g
carbohidratos	25 g
total grasas	18 g
monoinsaturadas	11 g
poliinsaturadas	2 g
saturadas	2 g
colesterol	62 mg
fibra	3 g

Deja que se enfríen las patatas, pélalas y córtalas en rodajas y resérvalas.

Retira los pimientos, déjalos templar, pélalos y córtalos en tiras.

Retira los trozos de bacalao, déjalos templar y sácalos en láminas.

Pon el aceite ligado en un bol, agrega las aceitunas negras y los tomates bien picaditos, perejil picado y mezcla bien.

El toque de Karlos

Antes de cocer las patatas conviene lavarlas bien ya que en su piel suele haber numerosos restos de arena y tierra.

ENSALADA DE LENTEJAS, CODORNIZ Y FOIE

Otoño

Ingredientes

6 personas

200 g de lentejas
3 codornices
80 g de foie-micuit
hojas de lolo, lechuga, rúcula y escarola
1 cebolleta
1 zanahoria
1 tomate
1 manojo de cebollino
agua
aceite de oliva virgen
vinagre
sal

Análisis nutricional
(ración)

kilocalorías...................................386
proteínas.................................25 g
carbohidratos........................23 g
total grasas..............................22 g
   monoinsaturadas..............10 g
   poliinsaturadas....................2 g
   saturadas.............................2 g
colesterol.........................87 mg
fibra...5 g

Elaboración

Pica el cebollino, colócalo en un recipiente pequeño de cristal, añade aceite, vinagre y sal. Bátelo y deja macerar un poco.

Pon las lentejas en la olla, agrega un poco de agua y una pizca de sal. Pon la tapa (posición 2) y deja cocer durante 8-10 minutos. Escúrrelas y refréscalas.

Pela el tomate y pícalo en dados. Pica también la cebolleta finamente. Agrega todo a las lentejas. Ralla la zanahoria con un pelaverduras, pícalas un poco e incorpóralas al recipiente. Sazona y vierte la mitad de la vinagreta.

Con un cuchillo bien afilado saca las pechugas de las codornices, sálalas y fríelas en una sartén con un poco de aceite.

Limpia las hojas de lechuga, escúrrelas y colócalas en el borde de una fuente amplia y en medio pon la ensalada de lentejas; encima y en el centro sirve el foie cortado en láminas y dispón alrededor las pechugas de codorniz. Vierte el resto de la vinagreta sobre las hojas de lechuga.

Pica el cebollino, colócalo en un recipiente pequeño de cristal, añade aceite, vinagre y sal.

Sazona y vierte la mitad de la vinagreta.

Con un cuchillo bien afilado saca las pechugas de las codornices.

Coloca las hojas de lechuga en el borde de una fuente amplia y en medio pon la ensalada de lentejas.

El toque de Karlos

Con las carcasas y los muslitos puedes preparar un arroz exquisito. Como base, pica algunas verduras, rehoga los muslitos y cocínalos con el caldo elaborado con las carcasas y unas verduras.

ENSALADA "LUISI"

Invierno

Ingredientes
4 personas

½ pechuga de pavo
1 escarola
2 patatas
1 granada
1 cebolleta
1-2 zanahorias
8 dientes de ajo
1 hoja de laurel
20 granos de pimienta
aceite de oliva virgen
agua
vinagre
sal

Elaboración

Sazona la pechuga, colócala en la olla rápida, vierte una parte de vinagre y tres partes de aceite. Añade la cebolleta, las zanahorias peladas, los dientes de ajo pelados, la hoja de laurel y los granos de pimienta. Pon la tapa a la olla y deja cocer 10 minutos desde el momento en que empiece a salir el vapor. Saca la pechuga, déjala templar y córtala en filetitos.

Limpia las patatas y ponlas a cocer en una cazuela con agua. En 20-25 minutos estarán a punto. Deja que se templen, pélalas y córtalas en rodajas.

Limpia la escarola (hoja a hoja) bajo el agua del grifo y escúrrela muy bien. Pela la granada y desgránala.

Sirve en una fuente amplia, colocando en el fondo las rodajas de patata, encima la escarola y finalmente unos filetitos de pavo. Espolvorea toda la superficie con los granos de granada. Sazona y aliña todo con el escabeche.

Análisis nutricional
(ración)

kilocalorías	290
proteínas	15 g
carbohidratos	23 g
total grasas	16 g
monoinsaturadas	10 g
poliinsaturadas	2 g
saturadas	2 g
colesterol	30 mg
fibra	4 g

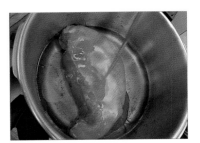

Sazona la pechuga, colócala en la olla rápida, vierte una parte de vinagre y tres partes de aceite.

Deja que se templen las patatas, pélalas y córtalas en rodajas.

Limpia la escarola (hoja a hoja) bajo el agua del grifo y escúrrela muy bien.

Coloca en el fondo las rodajas de patata, encima la escarola y finalmente unos filetitos de pavo.

El toque de Karlos

Puedes limpiar la escarola con antelación. Para que se conserve fresca y crujiente, cúbrela con una servilleta de tela húmeda hasta el momento de servir.

CÓCTEL DE CARABINEROS

Invierno

Ingredientes

4 personas

hojas de lechuga variadas
8 carabineros
25 g de huevas de trucha
½ aguacate
1 puerro
agua
perejil
sal

Para la salsa
½ l de mahonesa
1 cucharada de salsa de tomate
1 cucharadita de whisky
zumo de ½ lima

Elaboración

Pela los carabineros, córtalos por la mitad a lo largo, dejándolos unidos por la parte de la cola. Pon agua en una cazuela, agrega el puerro cortado por la mitad, una rama de perejil y una pizca de sal. Cuando empiece a hervir añade los carabineros. Cuécelos durante un par de minutos.

Pon la mayonesa en un recipiente pequeño, vierte el whisky, la salsa de tomate y el zumo de lima y mezcla bien.

Limpia las lechugas, escúrrelas y pícalas en juliana fina. Distribuye las lechugas en 4 cuencos de cristal.

Pela el aguacate, córtalo en dados y añade unos cuantos a cada copa. Coloca encima un par de carabineros y riégalos con un poco de salsa. Adorna con unas huevas de trucha.

Análisis nutricional
(ración)

kilocalorías.................................. 526
proteínas............................. 8 g
carbohidratos......................... 3 g
total grasas............................ 53 g
   monoinsaturadas.............. 31 g
   poliinsaturadas................. 9 g
   saturadas.......................... 8 g
colesterol........................ 224 mg
fibra... 2 g

Cuando empiece a hervir el agua añade los carabineros.

Pon la mayonesa en un recipiente pequeño, vierte el whisky, la salsa de tomate y el zumo de lima y mezcla bien.

Limpia las lechugas, escúrrelas y pícalas en juliana fina. Distribuye las lechugas en 4 cuencos de cristal.

Pela el aguacate, córtalo en dados y añade unos cuantos a cada copa.

El toque de Karlos

Si no tienes zumo de lima puedes sustituirlo por zumo de naranja o de limón. Y si te gusta el picante puedes darle un toque añadiéndole unas gotas de salsa de tabasco.

verduras y hortalizas

BORRAJA CON BACALAO Y CREMA DE CALABAZA

Primavera

Ingredientes

4 personas

1 manojo de borraja
400 g de calabaza
2 patatas
2 lomos de bacalao desalado (400 g)
3 dientes de ajo
½ guindilla
agua
aceite de oliva virgen
sal

Elaboración

Limpia bien la borraja, retirándole todos los hilos. Córtala en trozos de 4 centímetros y pon a cocer en una cazuela con agua hirviendo con una pizca de sal. En 5-6 minutos estará a punto.

Pela la calabaza y las patatas y trocéalas. Ponlas a cocer en una cazuela con agua y una pizca de sal. Deja cocer durante 10 minutos y tritura con una batidora eléctrica. Riega con un chorro de aceite crudo y mezcla.

Corta los dientes de ajo en láminas y la guindilla en rodajas. Pon a dorar en una sartén con un poco de aceite.

Corta los lomos de bacalao en dados, añádelos a la sartén y saltéalos brevemente. Escurre las borrajas, incorpóralas y saltea todo.

Sirve la crema en el fondo de la fuente, escurre el salteado de borrajas con bacalao y colócalo encima.

Análisis nutricional
(ración)

kilocalorías	338
proteínas	30 g
carbohidratos	20 g
total grasas	16 g
monoinsaturadas	9 g
poliinsaturadas	2 g
saturadas	2 g
colesterol	50 mg
fibra	4 g

Limpia bien la borraja, retirándole todos los hilos.

Pela la calabaza y las patatas y trocéalas. Ponlas a cocer en una cazuela con agua y una pizca de sal.

Corta los dientes de ajo en láminas y la guindilla en rodajas. Pon a dorar en una sartén con un poco de aceite.

Sirve la crema en el fondo de la fuente, escurre el salteado de borrajas con bacalao y colócalo encima.

El toque de Karlos

La borraja casi siempre se consume cocida, pero también se puede consumir cruda. En este caso, sólo se utilizarán los tallos y las hojas más tiernas. Las hojas, finamente picadas, se pueden emplear para condimentar ensaladas y otros platos.

PENCAS DE ACELGA RELLENAS DE QUESO Y SALMÓN

Primavera

Ingredientes

4 personas

6 acelgas grandes
200 g de queso semicurado
200 g de salmón ahumado
1 huevo cocido
1 cebolla
1 diente de ajo
1 vaso de vino blanco
huevo batido
harina
agua
aceite de oliva virgen
sal
perejil picado

Elaboración

Retira las hojas de las acelgas y deja sólo la parte blanca. Córtalas en trozos de 7 cm y quítales las hebras más duras. Ponlas a cocer durante 15 minutos en una cazuela con agua y una pizca de sal.

Pica las hojas y ponlas a cocer en otra cazuela con agua. Deja cocer durante 15 minutos.

Escurre las pencas y extiéndelas sobre una superficie lisa.

Corta el salmón y el queso del mismo tamaño que las pencas. Pon sobre cada trozo de penca un trozo de queso y otro de salmón, cubre con un trozo de penca. Pásalas por harina y huevo y fríelas en una sartén con aceite.

Pica el diente de ajo y la cebolla finamente y pon a pochar en una sartén con aceite. Cuando vaya cogiendo color, añade 1 cucharada de harina. Rehoga bien, vierte el vino blanco y un vaso del caldo resultante de cocer las hojas de acelga. Dale un hervor, introduce las pencas y cocina todo junto durante 3 minutos. Espolvorea con perejil y huevo picado y sirve.

Análisis nutricional
(ración)

kilocalorías	599
proteínas	34 g
carbohidratos	21 g
total grasas	38 g
monoinsaturadas	17 g
poliinsaturadas	4 g
saturadas	13 g
colesterol	191 mg
fibra	3 g

Retira las hojas de las acelgas y deja sólo la parte blanca. Córtalas en trozos de 7 cm y quítales las hebras más duras.

Pica las hojas y ponlas a cocer en otra cazuela con agua. Deja cocer durante 15 minutos.

Corta el salmón y el queso del mismo tamaño que las pencas.

Rehoga bien, vierte el vino blanco y un vaso del caldo resultante de cocer las hojas de acelga.

El toque de Karlos

La acelga, por su excelente aporte de folatos, es un alimento imprescindible en la dieta de la mujer embarazada. La deficiencia de esta vitamina durante las primeras semanas de embarazo puede provocar malformaciones en el desarrollo del sistema nervioso del futuro bebé.

ESPÁRRAGOS AL AZAFRÁN CON VINAGRETAS

Primavera

Ingredientes

4 personas

16 espárragos frescos
2 huevos cocidos
agua
unas hebras de azafrán
azúcar
sal

Para la vinagreta de perejil
un buen manojo de perejil
aceite de oliva virgen
4 cucharadas de agua
zumo de ½ limón
sal

Para la vinagreta de fresa
8-10 fresas
aceite de oliva virgen
4 cucharadas de vinagre de
frambuesa
sal

Elaboración

Retira la parte inferior del tallo de los espárragos y pélalos con un pelaverduras. Ponlos a cocer en una cazuela con agua, una pizca de sal, otra pizca de azúcar y unas hebras de azafrán. Déjalos cocer durante 15-20 minutos y escúrrelos.

Pica el manojo de perejil y colócalo en un vaso (especial para batir), vierte el agua, tritura con una batidora eléctrica y deja reposar durante 15 minutos. Cuélalo, sazona, añade aceite y el zumo de limón y bate con un tenedor.

Limpia y pica las fresas y colócalas en otro vaso batidor. Agrega el vinagre de frambuesa, tritúralas con una batidora eléctrica y deja reposar durante 15 minutos. Cuela la mezcla, añade una pizca de sal y un chorro de aceite y bátelo con un tenedor.

Sirve los espárragos en una fuente grande, poniendo en la parte interior del tallo los huevos picados y alíñalos con las vinagretas a tu gusto.

Análisis nutricional
(ración)

kilocalorías	211
proteínas	7 g
carbohidratos	5 g
total grasas	18 g
monoinsaturadas	11 g
poliinsaturadas	2 g
saturadas	3 g
colesterol	102 mg
fibra	3 g

Pon los espárragos a cocer en una cazuela con agua, una pizca de sal, otra pizca de azúcar y unas hebras de azafrán.

Pica el manojo de perejil y colócalo en un vaso, vierte el agua y tritura con una batidora eléctrica.

Cuela la mezcla, añade una pizca de sal y un chorro de aceite y bátelo con un tenedor.

Pon en la parte interior del tallo los huevos picados y alíñalos con las vinagretas a tu gusto.

El toque de Karlos

Para hacer la vinagreta de fresas puedes utilizar el vinagre que más te guste, ya que los hay de muchas clases: de vino blanco, tinto, de jerez, de cava, de módena, de frambuesa, de grosella, de manzana...

PATATAS RELLENAS DE HABITAS Y XIXAS

Primavera

Ingredientes

4 personas

4 patatas nuevas
150 g de habas frescas
150 g de xixas
2 puerros
1 cebolla
1 diente de ajo
½ vaso de vino blanco
agua
aceite de oliva virgen
sal
perejil picado

Elaboración

Limpia las patatas, frotándoles la piel con un cepillo bajo el grifo del agua. Ponlas a cocer en una cazuela con una pizca de sal. Déjalas cocer durante 20 minutos. Deja que se enfríen y córtales un trozo por la parte superior. Con la ayuda de una cucharita vacíalas teniendo cuidado de que no se rompa la piel y sazónalas. Reserva la carne.

Escalda las habas durante un minuto en una cazuela con agua hirviendo y una pizca de sal. Escúrrelas y resérvalas.

Pica los puerros y la cebolla finamente y pon a pochar en una sartén con aceite; cuando coja color, agrega la parte interior de las patatas (reservada anteriormente), el vino blanco, un chorrito de agua y una pizca de sal. Cocina durante 5 minutos, tritura la salsa y pásala por un colador.

Pica el diente de ajo, rehógalo en una sartén con un poco de aceite. Añade las xixas, saltéalas e incorpora las habas. Sazona y saltea todo un poco. Calienta las patatas en el horno, rellénalas, acompáñalas con la salsa y espolvoréalas con perejil picado.

Análisis nutricional
(ración)

kilocalorías	387
proteínas	16 g
carbohidratos	42 g
total grasas	17 g
monoinsaturadas	10 g
poliinsaturadas	2 g
saturadas	2 g
colesterol	0 mg
fibra	16 g

Con la ayuda de una cucharita vacía las patatas teniendo cuidado de que no se rompa la piel y sazónalas.

Escalda las habas durante un minuto en una cazuela con agua hirviendo y una pizca de sal.

Agrega la parte interior de las patatas, el vino blanco, un chorrito de agua y una pizca de sal.

Calienta las patatas en el horno, rellénalas, acompáñalas con la salsa y espolvoréalas con perejil picado.

El toque de Karlos

De las habas frescas se consumen tanto las vainas como las semillas. Las vainas pequeñas se pueden consumir enteras, tratadas de la misma manera que las judías verdes, mientras que las de mayor tamaño deben desgranarse inmediatamente antes de cocerse.

Primavera

Ingredientes

6 personas

300 g de judías verdes
250 g de guisantes frescos pelados
250 g de habas frescas peladas
8 alcachofas
4 espárragos blancos
4 patatas pequeñas
2 zanahorias
2 hojas de acelga
1 cebolleta
1 diente de ajo
150 g de jamón
harina
huevo batido
agua
aceite de oliva virgen
sal
perejil

Análisis nutricional
(ración)

kilocalorías	381
proteínas	19 g
carbohidratos	32 g
total grasas	20 g
monoinsaturadas	12 g
poliinsaturadas	2 g
saturadas	3 g
colesterol	52 mg
fibra	13 g

Elaboración

Tornea las patatas. Corta cada zanahoria en 4 y tornéalas. Retira la parte inferior del tallo de los espárragos, pélalos y córtalos por la mitad. Retira las puntas y los hilos de las judías, córtalas por la mitad a lo largo y después en trozos de 4-5 cm. Pon agua en la olla, coloca las patatas, las zanahorias, las judías, los espárragos, los guisantes, las habitas y sazona. Coloca encima el accesorio para cocer al vapor. Pasa las acelgas por agua y separa la parte verde de las pencas. Pica las hojas, limpia las pencas y córtalas en trozos de 4 cm. Colócalas sobre el accesorio, pon la tapa (posición 1) y deja cocer durante 3 minutos desde que empieza a salir el vapor.

Limpia las alcachofas, retirando las hojas externas y cortando 2 cm por la parte superior. Ponlas a cocer durante 20-25 minutos en una cazuela con agua y una rama de perejil. Deja templar y córtalas en cuartos.

Abre la olla, escurre bien las pencas y las hojas de acelga y forma bolitas con éstas. Pásalas por harina y huevo y fríelas en una sartén con aceite.

Pica el diente de ajo finamente y ponlo a dorar en una tartera grande con un poco de aceite, pica la cebolleta e incorpora Deja pochar 5 minutos. Agrega el jamón picado, rehógalo un poco, agrega una cucharada de harina, mezcla bien e incorpora todas las verduras. Vierte un poco de caldo, pon encima las verduras rebozadas y cocina todo junto durante 5 minutos.

Pon agua en la olla, coloca las patatas, las zanahorias, las judías, los espárragos, los guisantes, las habitas y sazona.

Limpia las alcachofas, retirando las hojas externas y cortando 2 cm por la parte superior.

Abre la olla, escurre bien las pencas y las hojas de acelga y forma bolitas con éstas. Pásalas por harina y huevo y fríelas en una sartén con aceite.

Vierte un poco de caldo, pon encima las verduras rebozadas y cocina todo junto durante 5 minutos.

El toque de Karlos

Para reducir las pérdidas de vitaminas y sales minerales al cocinar las verduras conviene usar la menor cantidad de agua posible, añadirlas al agua cuando ya esté hirviendo, dejarlas poco cocidas (al dente), cocerlas en trozos grandes, y no dejarlas en el agua de cocción después de cocinadas si es que no se va a consumir ese líquido.

TOMATES RELLENOS DE VERDURA Y QUESO TIERNO

Verano

Ingredientes

4 personas

2 tomates grandes
½ calabacín
12 espárragos verdes
100 g de judías verdes
150 g de queso tierno
100 g de jamón serrano
100 g de cecina
1 vaso de leche
1 cucharada de harina
aceite de oliva virgen
sal
perejil picado

Elaboración

Limpia los tomates y córtalos por la mitad. Vacíalos con una cucharilla, retira las pepitas y reserva la pulpa.

Pica el jamón y saltéalo en una sartén con aceite. Agrega las judías verdes y el calabacín picados en taquitos. Rehoga brevemente e incorpora la pulpa de los tomates.

Trocea el queso en dados y añádelos al salteado. Rellena los tomates y cocínalos en el horno a 200 grados durante 10 minutos.

Para la bechamel, pon un poco de aceite en una cazuela, agrega la harina y rehoga brevemente. Vierte la leche poco a poco y cocina hasta que espese. Sazona y espolvorea con un poco de perejil picado. Retira los tomates del horno, nápalos e introduce nuevamente en el horno para gratinar.

Pica los espárragos verdes en taquitos y rehoga brevemente en una sartén con un poco de aceite. Incorpora la cecina cortada en taquitos y saltea. Sirve medio tomate relleno por ración y adorna con el salteado de espárragos y cecina.

Análisis nutricional
(ración)

kilocalorías	411
proteínas	25 g
carbohidratos	13 g
total grasas	29 g
monoinsaturadas	12 g
poliinsaturadas	2 g
saturadas	7 g
colesterol	11 mg
fibra	3 g

Limpia los tomates y córtalos por la mitad. Vacíalos con una cucharilla, retira las pepitas y reserva la pulpa.

Rellena los tomates y cocínalos en el horno a 200 grados durante 10 minutos.

Retira los tomates del horno, nápalos e introduce nuevamente en el horno para gratinar.

Adorna con el salteado de espárragos y cecina.

El toque de Karlos

Los tomates demasiado verdes son indigestos. Para acelerar su maduración pueden envolverse en papel de periódico y dejarlos unos días en un sitio oscuro y seco.

PUERROS Y CEBOLLETAS CON SALSA ROMESCO

Verano

Ingredientes

4 personas

12 puerros finos
12 cebolletas pequeñas
agua
sal

Para la salsa romesco
12 avellanas
12 almendras
2 dientes de ajo
2 ñoras
1 trozo de tomate
1 rebanada de pan
1 trozo de guindilla
agua
aceite de oliva virgen
1 cucharada de vinagre

Elaboración

Limpia los puerros, retirándoles los bigotes y las capas externas. Ponlos a cocer en una cazuela amplia con agua y una pizca de sal. En 15 minutos estarán a punto. Retíralos y escúrrelos.

Pon las ñoras a cocer en una cazuela con agua durante 10 minutos. Retírales la carne. Quita la corteza del pan y pon la miga a remojo.

Aplasta las avellanas y las almendras con un cuchillo, pícalas un poco y colócalas en el mortero. Pica un poco los dientes de ajo e incorpóralos y maja todo bien. Añade la carne de las ñoras, el trocito de guindilla y la miga de pan. Maja todo bien. Vierte aceite (1 vasito) poco a poco, sigue ligando y agrega un chorrito de vinagre. Pela el tomate, corta un trozo en daditos pequeños, incorpóralo al mortero y mezcla bien.

Limpia las cebolletas, sazónalas y cocínalas a la plancha durante 8-10 minutos. Sirve las cebolletas y los puerros en una fuente amplia y acompáñalos con la salsa.

Análisis nutricional
(ración)

kilocalorías	271
proteínas	6 g
carbohidratos	19 g
total grasas	20 g
monoinsaturadas	12 g
poliinsaturadas	2 g
saturadas	2 g
colesterol	0 mg
fibra	6 g

Pon los puerros a cocer en una cazuela amplia con agua y una pizca de sal.

Pon las ñoras a cocer en una cazuela con agua durante 10 minutos. Retírales la carne.

Vierte aceite en el mortero (1 vasito) poco a poco, sigue ligando y agrega un chorrito de vinagre.

Limpia las cebolletas, sazónalas y cocínalas a la plancha durante 8-10 minutos.

El toque de Karlos

El consumo de la salsa romesco puede provocar un fuerte y desagradable olor a través del aliento. Puede combatirse masticando —por su alto contenido en clorofila— hojas frescas de perejil, de menta fresca o de apio.

ROLLITOS DE ESPÁRRAGOS VERDES Y SALMÓN CON SALSA DE QUESO

Verano

Ingredientes

4 personas

20 espárragos verdes
4 lonchas de salmón ahumado
4 tiras finas de puerro
2 dientes de ajo
200 g de xixas
1 cucharada de alcaparras
300 ml de nata
100 g de queso semicurado
aceite de oliva virgen
sal

Elaboración

Pon la nata a reducir en una cazuela. Cuando haya reducido (10 minutos aproximadamente) ralla encima el queso y mezcla bien.

Limpia los espárragos y córtales la parte baja del tallo. Sálalos y fríelos en una sartén con aceite durante 4-5 minutos. Escúrrelos bien.

Envuelve 5 espárragos con una loncha de salmón ahumado y átalos con las tiras de puerro escaldadas.

Pica los dientes de ajo en láminas y ponlos a freír en una sartén con un poco de aceite, añade las xixas limpias y troceadas a mano. Sazona y saltea brevemente.

Sirve los rollitos en platos individuales o en una fuente grande. Pica las alcaparras y espolvorea los rollitos. Acompáñalos con las xixas y la salsa de queso.

Análisis nutricional
(ración)

kilocalorías	639
proteínas	17 g
carbohidratos	5 g
total grasas	61 g
monoinsaturadas	23 g
poliinsaturadas	4 g
saturadas	30 g
colesterol	149 mg
fibra	3 g

Pon la nata a reducir en una cazuela. Cuando haya reducido, ralla encima el queso y mezcla bien.

Envuelve 5 espárragos con una loncha de salmón ahumado y átalos con las tiras de puerro escaldadas.

Añade las xixas limpias y troceadas a mano.

Sirve los rollitos en platos individuales o en una fuente grande. Acompáñalos con las xixas y la salsa de queso.

El toque de Karlos

El salmón ahumado es un alimento muy nutritivo, cuyo consumo deben moderar los hipertensos ya que su componente de sal es bastante elevado.

JUDÍAS VERDES CON CREMA LIGERA DE PATATA

Verano

Ingredientes

4 personas

800 g de judías verdes
4 patatas
2 yemas de huevo
300 g de hongos
2 dientes de ajo
agua
aceite de oliva virgen
sal
pimienta
perejil picado

Elaboración

Pela las patatas, trocéalas y colócalas en la olla rápida. Cúbrelas con agua y coloca encima el accesorio para cocer al vapor.

Limpia, corta las puntas de las judías, quítales las hebras y pícalas. Colócalas sobre el accesorio, sazónalas, pon la tapa y deja cocer durante 3 minutos desde el momento en que empiece a salir el vapor.

Abre la olla, saca las judías y resérvalas. Retira parte del líquido de la olla y tritura las patatas con una batidora eléctrica. Añade las 2 yemas y un par de cucharadas de aceite y bate bien. Ralla encima un poco de pimienta, espolvorea con perejil picado y mezcla bien.

Pela y pica los dientes de ajo en láminas finas. Ponlos a dorar en una sartén. Limpia los hongos, pícalos y añádelos a la sartén. Sazona y saltéalos brevemente.

Sirve la crema ligera de patata en el fondo de una fuente amplia, coloca en el centro los hongos salteados y las judías a los lados.

Pela las patatas, trocéalas y colócalas en la olla rápida.

Limpia, corta las puntas de las judías, quítales las hebras y pícalas. Colócalas sobre el accesorio para cocer al vapor.

Análisis nutricional
(ración)

kilocalorías................................... 354
proteínas............................... 11 g
carbohidratos......................... 33 g
total grasas............................ 21 g
   monoinsaturadas.............. 11 g
   poliinsaturadas................... 3 g
   saturadas........................... 3 g
colesterol......................... 148 mg
fibra.. 9 g

Añade las 2 yemas y un par de cucharadas de aceite y bate bien.

Limpia los hongos, pícalos y añádelos a la sartén. Sazona y saltéalos brevemente.

El toque de Karlos

Si la esponja (parte inferior de los sombreros) de los hongos estuviera muy esponjosa y húmeda, retírala con una puntilla.

CROQUETAS DE VERDURAS Y QUESO

Verano

Ingredientes
4 personas

1 l de leche
4 cucharadas de harina
1 cebolleta
1 pimiento verde
1 zanahoria
1 calabacín
2 dientes de ajo
100 g de espinacas
100 g de queso curado
mantequilla
aceite de oliva virgen
sal
pimienta

Para rebozar
harina
pan rallado
huevo

Para decorar
rabanitos
perejil

Análisis nutricional
(ración)

kilocalorías................................. 705
proteínas.................................. 24 g
carbohidratos......................... 44 g
total grasas............................. 49 g
  monoinsaturadas.............. 20 g
  poliinsaturadas.................... 5 g
  saturadas......................... 10 g
colesterol........................ 104 mg
fibra.. 4 g

Elaboración

Pica la cebolleta y los dientes de ajo finamente y ponlos a pochar en una cazuela con un poco de aceite.

Pica también la zanahoria (pelada), el pimiento y el calabacín (limpio y sin pelar) en dados pequeños e incorpóralos. Sazona y cocina todo junto durante 5 minutos.

Limpia las espinacas; si están un poco duras retírales los tallos. Pícalas, incorpóralas a la cazuela y cocínalas brevemente. Agrega la harina, rehógala y vierte la leche templada poco a poco sin dejar de batir. Salpimienta y trabaja la masa a fuego suave durante 15 minutos.

Ralla encima el queso, mezcla bien y pasa la masa a una fuente amplia, unta la superficie con un poco de mantequilla y deja que se enfríe.

Forma las croquetas, pásalas por harina, huevo y pan rallado y fríelas en una sartén con aceite bien caliente. Escúrrelas sobre papel absorbente de cocina y sirve. Puedes decorar el plato con una rama de perejil y unos rabanitos.

Pica la zanahoria (pelada), el pimiento y el calabacín (limpio y sin pelar) en dados pequeños e incorpóralos.

Agrega la harina, rehógala y vierte la leche templada poco a poco sin dejar de batir.

Ralla encima el queso, mezcla bien y pasa la masa a una fuente amplia.

Forma las croquetas, pásalas por harina, huevo y pan rallado y fríelas en una sartén con aceite bien caliente.

El toque de Karlos

Para congelar croquetas, colócalas en una fuente (sin amontonar) en el congelador. Al cabo de 12 horas sepáralas y consérvalas en una bolsa de plástico limpia y cerrada. Para freírlas no es necesario descongelarlas. Se fríen, en aceite muy caliente, en 2 minutos, moviendo la sartén en vaivén para no tener que tocarlas.

ESPINACAS CON JAMÓN GRATINADAS

Otoño

Ingredientes

4 personas

1 kg de espinacas
200 g de jamón serrano
1 cucharada de harina
1 vaso grande de leche
1 yema de huevo
100 g de queso semicurado
6-8 tomates cherry
agua
aceite de oliva virgen
sal
nuez moscada

Elaboración

Limpia las espinacas muy bien. Pon un poco de agua en una cazuela y agrega poco a poco las espinacas. A medida que vayan mermando, añade el resto. Sazónalas, cuécelas durante 2-4 minutos, escúrrelas, pícalas finamente y resérvalas.

Pica el jamón en taquitos. Saltéalo en una sartén con un poco de aceite y añade una cucharada de harina. Remueve bien, vierte la leche poco a poco sin dejar de remover para que no se formen grumos. Ralla encima un poco de nuez moscada y cocina hasta que espese.

Agrega las espinacas y mezcla todo bien. Añade la yema de huevo y sigue mezclando. Coloca la mezcla en recipientes individuales (aptos para el horno), ralla encima de cada uno un poco de queso y gratina en el horno durante 2-3 minutos.

Limpia los tomates cherry, córtalos por la mitad, sazónalos y saltéalos brevemente en una sartén con un poco de aceite. Adorna con ellos los recipientes de las espinacas y sirve.

Limpia las espinacas muy bien. Pon un poco de agua en una cazuela y agrega poco a poco las espinacas.

Remueve bien, vierte la leche poco a poco sin dejar de remover para que no se formen grumos.

Análisis nutricional
(ración)

kilocalorías	464
proteínas	31 g
carbohidratos	10 g
total grasas	34 g
monoinsaturadas	16 g
poliinsaturadas	3 g
saturadas	9 g
colesterol	131 mg
fibra	4 g

Coloca la mezcla en recipientes individuales y ralla encima de cada uno un poco de queso.

Limpia los tomates cherry, córtalos por la mitad, sazónalos y saltéalos brevemente en una sartén con un poco de aceite.

El toque de Karlos

Si las espinacas son pequeñas y tiernas puedes utilizarlas enteras,y si son grandes, lo mejor es desechar los tallos suavemente con la mano.

PASTEL DE CALABAZA CON CREMA DE PUERROS

Otoño

Ingredientes

8 personas

1 kg de calabaza
16 gambas
6 huevos
1 vaso de nata
1 cebolleta
3 puerros
1 cucharadita de harina
mantequilla y pan rallado para
untar el molde
agua
aceite de oliva virgen
sal
perejil

Elaboración

Pela la calabaza y trocéala. Colócala sobre una placa de horno. Sálala y riégala con un poco de aceite. Introdúcela en el horno a 180 grados durante 15 minutos. Déjala templar y aplástala con un tenedor.

Limpia la cebolleta y los puerros y pícalos finamente. Ponlos a pochar en una cazuela con un poco de aceite. Cuando vayan tomando color agrega una cucharadita de harina y rehoga bien. Cubre con agua y cocina a fuego suave durante 15-20 minutos. Tritura con una batidora eléctrica y, si hiciera falta, pásala por el chino.

Bate los huevos como para una tortilla, vierte la nata y sigue batiendo. Añade la calabaza y mezcla bien.

Unta un molde con un poco de mantequilla, espolvoréalo con pan rallado y vierte dentro la mezcla de calabaza y huevos. Pela las gambas e introdúcelas dentro. Pon el recipiente al baño maría y cocina en el horno a 180 grados durante 40 minutos. Deja templar, desmóldalo y acompáñalo con la crema de puerros. Decora con una rama de perejil.

Análisis nutricional
(ración)

kilocalorías	344
proteínas	11 g
carbohidratos	10 g
total grasas	29 g
monoinsaturadas	13 g
poliinsaturadas	2 g
saturadas	11 g
colesterol	220 mg
fibra	3 g

Pela la calabaza y trocéala. Colócala sobre una placa de horno. Sálala y riégala con un poco de aceite.

Cuando la cebolleta y los puerros vayan tomando color agrega una cucharadita de harina.

Bate los huevos como para una tortilla, vierte la nata y sigue batiendo. Añade la calabaza y mezcla bien.

Unta un molde con un poco de mantequilla, espolvoréalo con pan rallado y vierte dentro la mezcla de calabaza y huevos.

El toque de Karlos

La calabaza joven puede congelarse fácilmente: se corta en cubitos y se escalda en agua hirviendo. Después, se mete escurrida en bolsas de plástico y se congela.

VOLOVANES DE CALABACÍN CON JAMÓN Y QUESO

Otoño

Ingredientes

6 personas

1 ½ láminas de hojaldre
1 cebolleta
1 pimiento verde
½ calabacín
1 tomate
3 huevos
100 g de jamón cocido
200 g de queso curado
aceite de oliva virgen
sal
perejil

Elaboración

Corta el hojaldre en 6 trozos de forma que te queden como 6 cuartos de circunferencia. Enrolla los bordes sobre sí mismos de forma que quede un relieve. Colócalos sobre una placa de hornear, pincha la parte central con un tenedor y coloca encima unos garbanzos secos. Bate un huevo y con un pincel unta suavemente los bordes. Introduce en el horno (caliente) a 180 grados durante 15-20 minutos.

Pica la cebolleta finamente y ponla a pochar en una sartén con un poco de aceite. Pica el pimiento verde y el calabacín e incorpóralos. Deja que se poche bien, pela el tomate, pícalo y añádelo. Cocina un poco, sazona, pica el jamón y añádelo. Saltea todo brevemente.

Bate 2 huevos y añádelos; cocínalos un poco sin que cuajen del todo. Vierte el preparado sobre los hojaldres.

Corta el queso en triángulos y cubre la farsa de los hojaldres. Introduce en el horno a gratinar. Sirve y decora con una rama de perejil.

Análisis nutricional
(ración)

kilocalorías.................................. 608
proteínas.......................... 24 g
carbohidratos........................ 21 g
total grasas.......................... 48 g
   monoinsaturadas............. 14 g
   poliinsaturadas.................. 4 g
   saturadas.......................... 9 g
colesterol........................ 175 mg
fibra...................................... 1 g

Coloca los trozos de hojaldre sobre una placa de hornear, pincha la parte central con un tenedor y pon encima unos garbanzos secos.

Cocina las verduras un poco, pica el jamón y añádelo. Saltea brevemente.

Bate 2 huevos y añádelos; cocínalos un poco sin que cuajen del todo. Vierte el preparado sobre los hojaldres.

Corta el queso en triángulos y cubre la farsa de los hojaldres. Introduce en el horno a gratinar.

El toque de Karlos

Para cocer el hojaldre no hace falta engrasar la bandeja del horno pues ya tiene suficiente grasa en sí, simplemente humedece la bandeja o molde con agua fría y un pincel.

PUDÍN DE AJETES Y PANCETA

Otoño

Ingredientes

6 personas

30 ajos frescos
250 g de panceta ahumada
5 huevos
½ litro de nata líquida
1 vaso de salsa de tomate
una nuez de mantequilla
pan rallado
aceite de oliva virgen
sal
perejil

Elaboración

Retira las raíces y la parte superior de los ajos frescos. Fríelos en una sartén con un poco de aceite. Escúrrelos y resérvalos. En otra sartén fríe las lonchas de panceta y escúrrelas.

Casca los huevos, colócalos en un bol, sazona y bátelos bien.

Unta un molde (apto para el horno) con un poco de mantequilla, espolvoréalo con pan rallado y cúbrelo con una tira ancha que vaya de lado a lado del molde. Coloca en el fondo la mitad de las lonchas de panceta, pon encima la mitad de los ajos y cúbrelos con la mitad de la mezcla de huevos y nata. Repite la operación.

Coloca el molde al baño maría e introduce en el horno a 170 grados durante 30 minutos. Deja templar y con una puntilla separa los bordes. Córtalo en lonchas finas, acompáñalas con un poco de salsa de tomate y decora con una ramita de perejil.

Análisis nutricional
(ración)

kilocalorías	773
proteínas	14 g
carbohidratos	13 g
total grasas	74 g
monoinsaturadas	22 g
poliinsaturadas	9 g
saturadas	13 g
colesterol	196 mg
fibra	1 g

En otra sartén fríe las lonchas de panceta y escúrrelas.

Casca los huevos, colócalos en un bol, sazona y bátelos bien.

Pon encima la mitad de los ajos y cúbrelos con la mitad de la mezcla de huevos y nata.

Corta el pudín en lonchas finas, acompáñalas con un poco de salsa de tomate y decora con una ramita de perejil.

El toque de Karlos

Cuando prepares salsa de tomate aprovecha y cocina bastante cantidad. Congela una parte y así siempre la tendrás a mano. Después, en el momento de usarla, puedes aromatizarla en función del plato que vayas a cocinar.

EMPANADILLAS DE VERDURAS Y FOIE GRAS

Invierno

Ingredientes

4 personas

12 obleas de empanadillas
200 g de mousse de foie
3 cebolletas
2 zanahorias
½ calabacín
200 g de champiñones
½ l de nata
aceite de oliva virgen
sal
perejil

Elaboración

Pica 1 cebolleta y ponla a dorar en una cazuela con un poco de aceite. Limpia los champiñones, lamínalos y añádelos.

Vierte la nata, una pizca de sal y deja reducir. Agrega 2 cucharadas de mousse de foie, mezcla y cocina a fuego suave durante 10 minutos más.

Pica las otras 2 cebolletas y pon a pochar en una sartén con aceite.

Pica las zanahorias finamente, incorpóralas y saltea brevemente. Pica el calabacín e incorpóralo. Cocina durante 5-8 minutos aproximadamente y deja que se temple un poco.

Extiende las obleas sobre una superficie lisa y pon en el centro de cada una un poco de relleno y un poco de mousse de foie. Con un pincel unta el perímetro de las empanadilla con un poco de agua, dóblalas por la mitad y ciérralas presionando en el borde con un tenedor.

Fríelas en una sartén con aceite. Escurre, sirve y acompáñalas con la salsa. Decora con una rama de perejil.

Vierte la nata, una pizca de sal y deja reducir.

Pica las zanahorias finamente, incorpóralas y saltea brevemente.

Análisis nutricional
(ración)

kilocalorías	1.079
proteínas	14 g
carbohidratos	30 g
total grasas	101 g
monoinsaturadas	27 g
poliinsaturadas	4 g
saturadas	39 g
colesterol	400 mg
fibra	4 g

Pon en el centro de cada oblea un poco de relleno y un poco de mousse de foie.

Fríelas en una sartén con aceite. Escurre, sirve y acompáñalas con la salsa.

El toque de Karlos

Con las obleas sobrantes se pueden hacer unos "seudopestiños" de postre que consisten simplemente en freír la oblea tal cual y después rociarla con miel diluida y azúcar.

PANACHÉ MIXTO

Invierno

Ingredientes

4 personas

150 g de coliflor
150 g de brócoli
12 coles de bruselas
2 cebolletas
2 zanahorias
4 puerros pequeños
12 ajos frescos
4 alcachofas
2 patatas
2 dientes de ajo
harina de tempura
agua
aceite de oliva virgen
sal
perejil

Análisis nutricional
(ración)

kilocalorías.................................. 236
proteínas.................................... 6 g
carbohidratos......................... 19 g
total grasas.............................. 16 g
   monoinsaturadas............... 9 g
   poliinsaturadas................... 2 g
   saturadas........................... 2 g
colesterol............................. 0 mg
fibra.. 8 g

Elaboración

Pon a cocer por separado las alcachofas limpias y cortadas en 8 (20 minutos), las patatas con piel (20 minutos), las coles de bruselas y la coliflor cortada en ramilletes (10 minutos). Escúrrelas. Cuando se templen las patatas, pélalas y córtalas en rodajas.

Pela las zanahorias y córtalas en 4 a lo largo. Separa el brócoli en ramilletes, corta las cebolletas en 4, los puerros en 2 y deja los ajos tal cual.

Pon la masa de tempura en un bol, agrega poco a poco el agua fría, disuelve la harina y deja reposar durante unos minutos. Sazona las verduras (cebolletas, puerros, zanahorias, ajos y brócoli), pásalas por la tempura y fríelas en una sartén con aceite. Escúrrelas sobre papel absorbente de cocina. Sirve en una fuente amplia, colocando en el centro las rodajas de patata, encima pon las coles de bruselas, alrededor las alcachofas y en torno a éstas los ramilletes de coliflor. Bordea toda la bandeja con las verduras en tempura.

Pica los dientes de ajo y májalos en el mortero. Añade aceite poco a poco sin dejar de mezclar y espolvorea con perejil picado. Sazona las verduras cocidas y alíñalas con este majado.

Escurre la verdura cocida. Cuando se templen las patatas, pélalas y córtalas en rodajas.

Pela las zanahorias y córtalas en 4 a lo largo.

Sazona las verduras, pásalas por la tempura y fríelas en una sartén con aceite.

Añade aceite poco a poco sin dejar de mezclar y espolvorea con perejil picado.

El toque de Karlos

Si al cortar los ajos por la mitad tuvieran un tallo grueso, lo mejor es retirarlo antes de majarlos en el mortero. De esta forma no repetirán tanto.

CARDO CON ALMENDRAS

Invierno

Ingredientes

4 personas

1 kg de cardo
200 g de almendras
4 dientes de ajo
¼ de limón
agua
aceite de oliva virgen
sal

Elaboración

Pon agua a hervir en la olla rápida; cuando empiece a hervir coloca el accesorio de cocer espaguetis, añade el limón y una pizca de sal.

Pela los tallos del cardo, retirando los hilos. Córtalos en trozos de 4 centímetros y añádelos a la olla. Cierra la tapa (posición 1) y deja cocer durante 5 minutos. Escúrrelos y resérvalos.

Pica las almendras (reserva unas pocas) y 2 dientes de ajo. Coloca todo en el mortero y maja bien hasta conseguir una pasta homogénea.

Pica los otros 2 dientes de ajo en láminas y ponlos a dorar en una cazuela (amplia y baja) con un poco de aceite. Añade las almendras reservadas anteriormente y fríelas brevemente. Agrega un poco del caldo resultante de cocer los cardos y el majado de almendras. Incorpora el cardo y deja que cueza todo junto durante 5 minutos a fuego medio.

Análisis nutricional
(ración)

kilocalorías	492
proteínas	14 g
carbohidratos	12 g
total grasas	44 g
monoinsaturadas	25 g
poliinsaturadas	8 g
saturadas	4 g
colesterol	0 mg
fibra	6 g

Pela los tallos del cardo, retirando los hilos.

Córtalos en trozos de 4 centímetros y añádelos a la olla.

Pica las almendras (reserva unas pocas) y 2 dientes de ajo.

Añade las almendras reservadas anteriormente y fríelas brevemente.

El toque de Karlos

Si tienes que pelar almendras, lo mejor es que utilices un mazo de madera. Para retirar la piel que tiene adherida al fruto lo mejor que puedes hacer es escaldarlas durante un par de minutos en una cazuela con agua hirviendo.

COLES DE BRUSELAS REBOZADAS CON CREMA DE PUERROS

Invierno

Ingredientes
4 personas

30-40 coles de bruselas
4 puerros
1 patata
1 vaso de leche
agua
aceite de oliva virgen
sal
perejil

Para la masa
250 g de harina
1 taza de agua
2 yemas
20 g de mantequilla
sal
pimienta

Elaboración

Pela la patata y limpia los puerros. Pícalos y ponlos a rehogar en una cazuela con un poco de aceite. Echa una pizca de sal y deja cocer durante 15 minutos. Tritura con una batidora, añade la leche y, finalmente, pasa por el chino o colador.

Pon las coles de bruselas a cocer en la olla rápida con el accesorio para cocer al vapor. Tapa la olla (posición 1) y deja cocer durante 3 minutos. Escurre y reserva.

Para preparar la masa, mezcla la harina con el agua. Añade las yemas batidas y 20 g de mantequilla fundida. Condimenta con sal y pimienta, mezcla bien y deja reposar durante 30 minutos.

Baña las coles en la masa preparada y fríelas en una sartén con aceite. Sirve la crema de puerro en el fondo de una fuente y coloca las coles sobre ella. Decora con una ramita de perejil y sirve.

Análisis nutricional
(ración)

kilocalorías	567
proteínas	17 g
carbohidratos	70 g
total grasas	26 g
monoinsaturadas	12 g
poliinsaturadas	2 g
saturadas	5 g
colesterol	159 mg
fibra	10 g

Pela la patata y limpia los puerros. Pícalos y ponlos a rehogar en una cazuela con un poco de aceite.

Pon las coles de bruselas a cocer en la olla rápida con el accesorio para cocer al vapor.

Para preparar la masa, mezcla la harina con el agua. Añade las yemas batidas y 20 gramos de mantequilla fundida.

Baña las coles en la masa preparada y fríelas en una sartén con aceite.

El toque de Karlos

Para limpiar bien los puerros hay que hacerles varios cortes con la punta de un cuchillo y enjuagarlos hasta que suelten toda la tierra que tienen en las hojas internas. Si están muy sucios lo mejor es cortarlos por la mitad a lo largo y pasarlos por agua hasta que queden bien limpios.

COLIFLOR CON BECHAMEL DE ESPINACAS

Invierno

Ingredientes

4 personas

1 coliflor
250 g de espinacas
100 g de queso curado
¼ de l de leche
1 cucharada de harina
agua
aceite de oliva virgen
sal
pimienta

Elaboración

Limpia bien la coliflor y déjala entera. Colócala en el accesorio para cocer al vapor y sazónala. Pon un poco de agua en la olla rápida, introduce el accesorio con la coliflor, pon la tapa (posición 1) y cuécela durante 3 minutos desde el momento en que empiece a salir el vapor.

Pon un poco de aceite en una cazuela, añade la harina y rehógala un poco. Vierte la leche, poco a poco, sin dejar de remover. Salpiméntala y cocínala durante 5 minutos.

Pica las espinacas (reserva unas 10 hojas) en juliana fina e incorpóralas a la bechamel, mezcla bien y cocina todo durante 2-3 minutos.

Sirve la coliflor en una fuente amplia, rocíala con la bechamel, ralla el queso encima e introdúcela en el horno para gratinar. En 2-3 minutos estará a punto.

Pon un poco de aceite en una sartén, añade las hojas de espinacas reservadas anteriormente y fríelas a fuego suave hasta que cristalicen. Pásalas a un plato y decora con ellas la coliflor.

Limpia bien la coliflor y déjala entera. Colócala en el accesorio para cocer al vapor y sazónala.

Pica las espinacas en juliana fina e incorpóralas a la bechamel.

Análisis nutricional
(ración)

kilocalorías................................. 361
proteínas.............................. 17 g
carbohidratos...................... 13 g
total grasas............................ 27 g
   monoinsaturadas............. 11 g
   poliinsaturadas.................. 3 g
   saturadas.......................... 7 g
colesterol......................... 19 mg
fibra.. 5 g

Ralla el queso encima de la coliflor e introdúcela en el horno para gratinar.

Pon un poco de aceite en una sartén, añade las hojas de espinacas reservadas anteriormente y fríelas.

El toque de Karlos

No olvidéis que la presentación, la decoración y las porciones de los platos cumplen una función importantísima para la vista de los chavales. La coliflor que hoy presentamos, cuando menos, seguro que les intriga...

arroces

ARROZ CALDOSO CON BERBERECHOS

Primavera

Ingredientes

4 personas

300 g de arroz
1 kg de berberechos
12 gambas
1 cabeza y espinas de pescadilla
2 cebolletas
2 puerros
2 dientes de ajo
agua
aceite de oliva virgen
sal
perejil

Elaboración

Limpia bien los berberechos y ponlos a cocer en una cazuela con un poco de agua hasta que se abran.

Pela las gambas y pon las cáscaras y las cabezas en otra cazuela con agua. Agrega la cabeza y las espinas de la pescadilla, unas ramas de perejil y una pizca de sal. Deja cocer durante 20 minutos hasta conseguir un buen caldo y cuélalo.

Pica las cebolletas, los puerros y los dientes de ajo. Pon a pochar en una cazuela con un poco de aceite. Cuando se doren un poco añade el arroz. Rehógalo, vierte el caldo (1 litro aproximadamente) y cocínalo durante 16-18 minutos sin dejar de remover.

Agrega las gambas y los berberechos sin cáscara. Cocina durante 2-3 minutos y sirve.

Análisis nutricional
(ración)

kilocalorías	608
proteínas	39 g
carbohidratos	70 g
total grasas	21 g
monoinsaturadas	10 g
poliinsaturadas	2 g
saturadas	4 g
colesterol	108 mg
fibra	3 g

Limpia bien los berberechos y ponlos a cocer en una cazuela con un poco de agua hasta que se abran.

Agrega la cabeza y las espinas de la pescadilla, unas ramas de perejil y una pizca de sal.

Cuando las verdurasse se doren un poco añade el arroz y rehógalo.

Agrega las gambas y los berberechos sin cáscara. Cocina durante 2-3 minutos y sirve.

El toque de Karlos

Si quieres que este guiso quede más suave de aspecto y textura, además de retirar las conchas de los berberechos, puedes triturar con una batidora eléctrica el sofrito de verduras. De esta forma sólo encontrarás arroz y berberechos con un sabor intenso y delicioso.

ARROZ CON VERDURAS AL CURRY

Primavera

Ingredientes

4 personas

200 g de arroz integral
4 huevos
1 cebolleta
2 zanahorias
1 pimiento verde
200 g de judías verdes
1 diente de ajo
½ calabacín
agua
aceite de oliva virgen
vinagre
sal
1 cucharadita de curry

Elaboración

Pica finamente la cebolleta, las zanahorias, el pimiento verde y las judías. Pon a pochar en una cazuela amplia y baja.

Pica el diente de ajo finamente y el calabacín en dados e incorpóralos. Rehoga durante 5 minutos.

Agrega el arroz (remojado durante una hora) y rehógalo brevemente, añade el curry, agua (triple cantidad que de arroz) y una pizca de sal. Cocínalo durante 40 minutos. Tápalo y deja que repose durante unos 5 minutos.

Pon agua a cocer en una cazuela amplia y baja. Cuando empiece a burbujear echa un chorro de vinagre y una pizca de sal, casca los huevos y escálfalos. Sirve el arroz y acompáñalo con los huevos.

Análisis nutricional
(ración)

kilocalorías	431
proteínas	12 g
carbohidratos	47 g
total grasas	23 g
monoinsaturadas	12 g
poliinsaturadas	3 g
saturadas	4 g
colesterol	205 mg
fibra	5 g

Pica finamente la cebolleta, las zanahorias, el pimiento verde y las judías. Pon a pochar en una cazuela amplia y baja.

Pica el diente de ajo finamente y el calabacín en dados e incorpóralos. Rehoga durante 5 minutos.

Agrega el arroz rehógalo brevemente, añade el curry, agua y una pizca de sal.

Cuando empiece a burbujear echa un chorro de vinagre y una pizca de sal, casca los huevos y escálfalos.

72

El toque de Karlos

El curry se puede obtener en polvo o en pasta; aunque son equivalentes, es preferible el polvo, pues la pasta, una vez abierta, no dura tanto tiempo como el polvo y comienza a perder sabor y aroma.

BERENJENAS CONFITADAS CON ARROZ BLANCO

Verano

Ingredientes

4 personas

2 berenjenas
4 cebolletas
200 g de arroz
100 g de jamón serrano
12 tomates cherry
1 escarola
2 dientes de ajo
agua
aceite de oliva virgen
vinagre
sal

Análisis nutricional
(ración)

kilocalorías.................................. 439
proteínas................................. 15 g
carbohidratos....................... 54 g
total grasas............................. 20 g
   monoinsaturadas............. 11 g
   poliinsaturadas................... 2 g
   saturadas............................ 3 g
colesterol.......................... 17 mg
fibra.. 5 g

Elaboración

Pela las cebolletas, pícalas y ponlas a pochar a fuego suave hasta que estén bien doradas. Pica el jamón, añádelo y rehógalo brevemente.

Pela las berenjenas, pícalas en dados pequeños y añádelas a las cebolletas. Sazona y cocina durante 10-15 minutos.

Pela los dientes de ajo y ponlos a dorar en una cazuelita con un poco de aceite. Añade el arroz, rehoga brevemente, añade el agua (doble y un poco más que de arroz) y una pizca de sal. Cuece durante 18-20 minutos.

Unta un bol redondo de ración con un poco de aceite. Pon en el fondo una capa de arroz, encima otra de berenjenas y otra de arroz. Presiona un poco y vuélcalo. Limpia los tomates y la escarola. Pica todo y aliña con aceite, vinagre y sal y sirve con los berenjenas.

Pica el jamón, añádelo y rehógalo brevemente.

Pela las berenjenas, pícalas en dados pequeños y añádelas a las cebolletas.

Añade el arroz, rehoga brevemente, añade el agua y una pizca de sal.

Unta un bol redondo de ración con un poco de aceite. Pon en el fondo una capa de arroz, encima otra de berenjenas y otra de arroz.

El toque de Karlos

Los cuchillos de cocina deben estar bien afilados. Si están sin afilar puedes cortarte al apretar o al hacer fuerza para cortar. Nunca está de más llevarlos a afilar de vez en cuando a un profesional.

ARROZ CON MEJILLONES AL CAVA

Verano

Ingredientes

4 personas

250 g de arroz
20 mejillones
1 cebolla
2 dientes de ajo
½ botella de cava
¼ de l de caldo de pescado
aceite de oliva virgen
sal
10 ramas de cebollino
2 hojas de laurel

Elaboración

Limpia los mejillones de barbas y de suciedades. Colócalos en una cazuela, agrega el cava y 2 hojas de laurel. Dale un hervor hasta que se abran.

Saca los mejillones y separa las cáscaras de la carne, dejando 8 con un lado de la cáscara. Cuela el líquido para retirar cualquier arenilla que hayan podido soltar.

Pica la cebolla y los dientes de ajo finamente y ponlos a dorar en una tartera (cazuela amplia y plana) con un poco de aceite. Cuando empiecen a dorarse agrega el arroz, mezcla bien, vierte los caldos (el de cocer los mejillones y el de pescado) calientes, mezcla bien y sazona. Pica la mitad de las ramas de cebollino y añádelas. Cocínalo durante 18-20 minutos.

Pica los mejillones sueltos y agrégalos al arroz. Coloca encima los mejillones con concha, adornando la cazuela. Pica el resto de las ramas de cebollino y colócalas por encima.

Análisis nutricional
(ración)

kilocalorías	463
proteínas	9 g
carbohidratos	57 g
total grasas	17 g
monoinsaturadas	10 g
poliinsaturadas	2 g
saturadas	2 g
colesterol	37 mg
fibra	2 g

Coloca los mejillones en una cazuela, agrega el cava y 2 hojas de laurel. Dale un hervor hasta que se abran.

Saca los mejillones y separa las cáscaras de la carne, dejando 8 con un lado de la cáscara

Cuando empiece a dorarse la cebolla y los ajos agrega el arroz, mezcla bien, vierte los caldos calientes y mezcla bien.

Coloca encima los mejillones con concha, adornando la cazuela.

El toque de Karlos

El punto de cocción del arroz es el tema más delicado. Es conveniente que la cazuela donde se cuece esté ya caliente antes de echar el arroz y que el líquido con el que lo mojemos, sea caldo o agua, esté hirviendo. De esta manera, la cocción no se detendrá en ningún momento.

ARROZ A BANDA

Otoño

Ingredientes

4 personas

4 tazas pequeñas de arroz
1 kg de pescado de roca y
marisco variado
2 puerros
1 cebolla
2 dientes de ajo
2 cucharadas de salsa de tomate
agua
aceite de oliva virgen
sal
unas hebras de azafrán
1 hoja de laurel
unas ramas de perejil
un poco de salsa alioli

Elaboración

Pon abundante agua en una cazuela. Trocea los puerros y la cebolla, los pescados de roca (limpios), unas cigalas, unas gambas, unos carabineros y unas nécoras e incorpóralos.

Agrega unas ramas de perejil y una hoja de laurel. Sazona, deja cocer durante 15-20 minutos y cuélalo.

Pica los dientes de ajo y fríelos brevemente sin que se doren en una tartera con un poco de aceite. Añade unas hebras de azafrán, la salsa de tomate y el arroz y mezcla bien. Vierte el caldo (doble cantidad que de arroz y un poco más) y deja cocer durante 20 minutos. Retira la cazuela del fuego, tápala con un paño y deja reposar.

Sirve en una fuente y acompáñalo con un poco de salsa alioli.

Análisis nutricional
(ración)

kilocalorías	621
proteínas	37 g
carbohidratos	77 g
total grasas	21 g
monoinsaturadas	10 g
poliinsaturadas	2 g
saturadas	2 g
colesterol	102 mg
fibra	3 g

Trocea los puerros y la cebolla, los pescados de roca y el marisco variado e incorpóralos.

Pica los dientes de ajo y fríelos brevemente sin que se doren en una tartera con un poco de aceite.

Vierte el caldo (doble cantidad que de arroz y un poco más) y deja cocer durante 20 minutos.

Retira la cazuela del fuego, tápala con un paño y deja reposar.

El toque de Karlos

Para el alioli, pon un poco de sal y medio ajo en un mortero. Empieza a majar hasta conseguir una pasta homogénea. Incorpora el aceite, casi gota a gota, moviendo la maza del mortero siempre en la misma dirección hasta conseguir una salsa espesa.

RISOTTO CON HIGADILLOS DE POLLO Y JAMÓN

Invierno

Ingredientes

4 personas

300 g de arroz
300 g de higadillos de pollo
150 g de lonchas de jamón serrano
100 g de queso curado
1 cebolla
1 pimiento verde
2 dientes de ajo
2 l de caldo de pollo
1 vaso de vino blanco
aceite de oliva virgen
sal
pimienta
perejil

Elaboración

Pica la cebolla y el pimiento finamente y pon a dorar en una cazuela amplia y baja con aceite. Pica también los dientes de ajo, añádelos y sazona.

Cuando vaya cogiendo color, limpia, trocea los higadillos de pollo, salpiméntalos e incorpóralos a la sartén. Rehoga un poco, agrega el vino blanco y el arroz y mezcla bien.

Vierte el caldo (en 3 veces) poco a poco y cocina durante 15-18 minutos sin dejar de remover.

Corta el queso en dados y añádelo. Mezcla hasta que se funda. Sirve el risotto en una fuente grande, decóralo con perejil y acompáñalo con las lonchas de jamón.

Análisis nutricional
(ración)

kilocalorías	785
proteínas	43 g
carbohidratos	73 g
total grasas	34 g
monoinsaturadas	15 g
poliinsaturadas	4 g
saturadas	10 g
colesterol	269 mg
fibra	2 g

Pica la cebolla y el pimiento finamente y pon a dorar en una cazuela amplia y baja con aceite.

Cuando vaya cogiendo color, limpia, trocea los higadillos de pollo, salpiméntalos e incorpóralos a la sartén.

Vierte el caldo poco a poco y cocina durante 15-18 minutos sin dejar de remover.

Corta el queso en dados y añádelo. Mezcla hasta que se funda.

El toque de Karlos

Cuando hagáis un risotto, el líquido (que debe estar a punto de hervor) debe incorporarse poco a poco y sin dejar de remover. De esta forma el arroz se cocinará absorbiendo el líquido poco a poco e irá formando una crema.

pasta

CANELONES RELLENOS DE SALCHICHAS

Primavera

Ingredientes

4 personas

16 canelones
3 salchichas frescas
6-8 lonchas de queso tierno
100 g de judías verdes
1 cebolleta
1 zanahoria
1 tomate
2 cucharadas de harina
½ l de leche
agua
aceite de oliva virgen
sal
pimienta
perejil

Elaboración

Pon agua a cocer en una cazuela amplia. Cuando empiece a hervir sazónala, vierte un chorro de aceite y añade los canelones de uno en uno. Cuécelos durante 12 minutos, refréscalos, escúrrelos y extiéndelos sobre un paño limpio.

Pica la cebolleta finamente y ponla a pochar en una sartén con aceite. Cuando vaya cogiendo color añade la zanahoria y las judías verdes bien picaditas. Rehoga un poco y agrega el tomate pelado y picado en dados. Cocina todo junto durante unos 5 minutos.

Abre las salchichas, retira la carne y añádela a las verduras. Salpimienta, cocina hasta que se haga la carne y pasa a una fuente para que se temple. Rellena los canelones y colócalos en una fuente apta para el horno.

Para hacer la bechamel pon en un recipiente, a fuego lento, un par de cucharadas de aceite, añade la harina y rehoga brevemente. Vierte la leche poco a poco, sin dejar de remover, y cocina hasta que espese. Sazona y espolvorea con un poco de perejil picado. Napa los canelones con la bechamel, extiende las rodajas de queso por encima y gratina en el horno. Sácalos y decora con una rama de perejil.

Cuando empiece a hervir el agua sazónala, vierte un chorro de aceite y añade los canelones de uno en uno.

Cuando vaya cogiendo color añade la zanahoria y las judías verdes bien picaditas.

Análisis nutricional
(ración)

kilocalorías................................... 760
proteínas.............................. 33 g
carbohidratos....................... 61 g
total grasas............................ 44 g
   monoinsaturadas............ 17 g
   poliinsaturadas................ 3 g
   saturadas......................... 13 g
colesterol......................... 22 mg
fibra.. 5 g

Abre las salchichas, retira la carne y añádela a las verduras.

Vierte la leche poco a poco, sin dejar de remover, y cocina hasta que espese.

El toque de Karlos

Si queréis podéis aromatizar la bechamel: para hacerlo, hay que dejar la leche a remojo durante 30-60 minutos con unas hojas de apio, de perejil o tomillo para que coja sabor.

TALLARINES CON POLLO Y CHAMPIÑONES

Primavera

Ingredientes

4 personas

500 g de tallarines
200 g de pechuga de pollo
200 g de champiñones
2 dientes de ajo
1 vaso de caldo de pollo
100 ml de leche
1 cucharada de harina
100 g de queso curado
agua
aceite de oliva virgen
sal
pimienta negra
perejil

Elaboración

Pon a cocer en una cazuela con abundante agua los tallarines con un poco de sal y un chorrito de aceite. Escurre, refresca con agua y resérvalos.

Limpia los champiñones, pela los dientes de ajo, pica todo en láminas y dora en una cazuela con un poco de aceite.

Corta la pechuga en tiras finas. Salpimienta e incorpóralas a la sartén junto con los champiñones. Añade un poco de perejil picado. Cuando esté hecho, retira a un plato y reserva.

Agrega la harina a la sartén, rehógala brevemente y vierte el caldo y la leche sin dejar de remover. Una vez hecha la crema, agrega los tallarines, los champiñones, las tiras de pollo y mezcla bien.

Dispón todo en una fuente, espolvorea con queso rallado y gratina en el horno durante 3 minutos. Sirve.

Análisis nutricional
(ración)

kilocalorías	783
proteínas	37 g
carbohidratos	90 g
total grasas	31 g
monoinsaturadas	12 g
poliinsaturadas	4 g
saturadas	8 g
colesterol	54 mg
fibra	1 g

Limpia los champiñones, pela los dientes de ajo y pica todo en láminas y dora en una cazuela con un poco de aceite.

Corta la pechuga en tiras finas. Salpimienta e incorpóralas a la sartén junto con los champiñones

Agrega la harina a la sartén, rehógala brevemente y vierte el caldo y la leche sin dejar de remover.

Dispón todo en una fuente, espolvorea con queso rallado y gratina en el horno durante 3 minutos.

El toque de Karlos

Un truco para dar un buen acabado a la pasta es calentar previamente los platos o las fuentes en las que vaya a ser servida porque el calor del recipiente ayuda a que la pasta se conserve lustrosa hasta el momento de su consumo.

FIDEUÁ CON VIEIRAS Y GAMBAS

Primavera

Ingredientes

4 personas

400 g de fideos gruesos
8 vieiras
16 gambas
1 tomate
4 dientes de ajo
¾ de l de caldo de pescado
aceite de oliva virgen
sal
unas hebras de azafrán
perejil picado

Elaboración

Abre las vieiras y limpia la carne, retirando las partes gelatinosas. Separa el coral del troncho y pica éstos en dados. Pela las gambas.

Pela y pica 2 dientes de ajo y saltéalos un poco en una cazuela grande. Cuando estén dorados agrega las vieiras y las gambas, sazónalas y saltea todo brevemente.

Retíralas a un plato e incorpora los fideos. Rehógalos un poco, añade el caldo y una hebras de azafrán. Mezcla bien y deja cocer durante 5 minutos.

Pela y pica los otros 2 dientes de ajo y colócalos en el mortero. Májalos bien, añade el tomate (pelado y picado) y un poco de perejil picado. Maja todo y vierte el majado sobre los fideos. Mezcla y deja cocer durante 5 minutos.

Distribuye encima las vieiras y las gambas y espolvorea con perejil picado.

Análisis nutricional
(ración)

kilocalorías	526
proteínas	23 g
carbohidratos	75 g
total grasas	17 g
monoinsaturadas	10 g
poliinsaturadas	2 g
saturadas	2 g
colesterol	34 mg
fibra	5 g

Abre las vieiras y limpia la carne, retirando las partes gelatinosas.

Cuando los ajos estén dorados agrega las vieiras y las gambas, sazónalas y saltea todo brevemente.

Retíralas a un plato e incorpora el fideo. Rehógalo un poco, añade el caldo y una hebras de azafrán.

Distribuye encima las vieiras y las gambas y espolvorea con perejil picado.

El toque de Karlos

Para que la fideua adquiera el punto perfecto, una vez cocinada, puedes taparla con un paño limpio de cocina y dejarla reposar durante un par de minutos antes de servir.

ENSALADA DE PASTA CON CHAMPIÑONES

Verano

Ingredientes

4 personas

300 g de champiñones
200 g de pasta de colores
200 g de lechugas variadas
100 g de canónigos
12 tomates cherry
1 diente de ajo
agua
aceite de oliva virgen
1 cucharada de miel
zumo de 1 limón
sal
perejil picado

Elaboración

Mezcla en un bol pequeño un poco de aceite, la miel, el zumo de limón y una pizca de sal. Bate bien y deja macerar.

Limpia los canónigos y las lechugas variadas. Escúrrelas, trocéalas y colócalas en un bol.

Pon abundante agua a cocer en una cazuela. Cuando empiece a hervir añade la pasta, un chorrito de aceite y una pizca de sal. Deja cocer durante 10-12 minutos, escúrrela y refréscala.

Limpia los champiñones, córtalos en cuatro y saltéalos en una sartén con aceite y un diente de ajo cortado en láminas. Sazona y espolvoréalos con un poco de perejil picado. Añade los champiñones a la pasta y mezcla bien.

Aliña, por un lado, la pasta con los champiñones, y, por otro, las lechugas variadas. Sirve (a tu gusto) en una fuente grande o en platos individuales colocando en el centro la pasta con champiñones, alrededor las lechugas variadas y los tomates cherry adornando.

Análisis nutricional
(ración)

kilocalorías	352
proteínas	9 g
carbohidratos	41 g
total grasas	17 g
monoinsaturadas	10 g
poliinsaturadas	3 g
saturadas	2 g
colesterol	0 mg
fibra	6 g

Mezcla en un bol pequeño un poco de aceite, la miel, el zumo de limón y una pizca de sal. Bate bien y deja macerar.

Limpia los canónigos y las lechugas variadas. Escúrrelas, trocéalas y colócalas en un bol.

Deja cocer la pasta durante 10-12 minutos, escúrrela y refréscala.

Saltea los champiñones en una sartén con aceite y un diente de ajo cortado en láminas.

El toque de Karlos

Para limpiar champiñones, retírales la parte baja del tallo con un cuchillo y después puedes pasarlos debajo del chorro del grifo y limpiarlos suavemente. Si ves que han quedado demasiado húmedos colócalos encima de una toalla limpia o un papel absorbente y sécalos antes de cocinarlos.

PASTA CON VERDURAS "ZARAUTZ"

Verano

Ingredientes

4 personas

400 g de pasta (espirales)
1 calabacín
250 g de judías verdes
200 g de guisantes pelados
1 puerro
2 cebolletas
12 ajos tiernos
4 zanahorias
agua
harina de tempura
aceite de oliva virgen
sal

Elaboración

Pon abundante agua a cocer en una cazuela. Añade una pizca de sal y un chorrito de aceite. Cuando empiece a hervir añade la pasta y deja cocer durante 10-12 minutos. Escúrrela y resérvala.

Pon un poco de agua en el fondo de la olla rápida y agrega los guisantes. Pica las judías verdes y 2 zanahorias en juliana fina y el calabacín en bastones gruesos, distribúyelos sobre el accesorio para cocer al vapor y colócalo en la olla. Pon la tapa y deja cocer 1 minuto desde el momento en que empiece a salir el vapor. Abre la olla, retira las verduras y resérvalas.

Pica las cebolletas y el puerro en juliana fina y pon a pochar en una sartén con un poco de aceite. Cuando estén dorados agrega los guisantes, las verduras cocidas al vapor y la pasta. Mezcla todo suavemente.

Para decorar, pela y pica las otras 2 zanahorias en bastones y corta los ajos por la mitad. Pon la harina de tempura en un recipiente, vierte el agua (según instrucciones del fabricante) y mezcla bien. Pásalos por la tempura, fríelos en una sartén con aceite y escúrrelos. Sirve la pasta en una fuente amplia y decora con las verduras.

Análisis nutricional
(ración)

kilocalorías................................... 513
proteínas.................................... 16 g
carbohidratos........................ 81 g
total grasas............................. 15 g
   monoinsaturadas............... 8 g
   poliinsaturadas.................. 1 g
   saturadas........................... 2 g
colesterol........................... 0 mg
fibra... 8 g

Cuando empiece a hervir el agua añade la pasta y deja cocer durante 10-12 minutos. Escúrrela y resérvala.

Pica las judías verdes y 2 zanahorias en juliana fina y el calabacín en bastones gruesos.

Cuando las cebolletas y el puerro estén dorados, agrega los guisantes, las verduras cocidas al vapor y la pasta. Mezcla todo suavemente.

Pasa las zanahorias y los ajos por la tempura, fríelos en una sartén con aceite y escúrrelos.

92

El toque de Karlos

La harina de tempura se compra en establecimientos especializados de alimentos, aunque cada vez es más común encontrarla en grandes superficies. Para utilizarla no tenéis más que seguir las instrucciones del fabricante.

LASAÑA FRÍA DE BONITO EN ESCABECHE

Verano

Ingredientes

4 personas

250 g de bonito limpio
2 tomates
6 láminas de lasaña
4 cogollos de lechuga
1 cebolleta
2 zanahorias
5 dientes de ajo
agua
aceite de oliva virgen
vinagre
sal
una cucharada de orégano
una pizca de romero
unas ramas de cebollino

Análisis nutricional
(ración)

kilocalorías	475
proteínas	19 g
carbohidratos	44 g
total grasas	27 g
monoinsaturadas	11 g
poliinsaturadas	9 g
saturadas	3 g
colesterol	50 mg
fibra	6 g

Elaboración

Para el escabeche, pica la cebolleta en juliana gruesa, pela las zanahorias y córtalas en bastones, y pela los dientes de ajo. Rehógalos (5 minutos) en una cazuela con un poco de aceite. Vierte una parte de vinagre y 2 de aceite y espolvorea con el orégano. Cocina durante 20 minutos a fuego suave.

Limpia el pescado y córtalo en rodajas finas. Sazónalas, introdúcelas en la cazuela, apaga el fuego y deja que el pescado se cocine con el calor del aceite.

Pela los tomates, corta uno en rodajas (resérvalo) y el otro en dados. Coloca éstos en un bol, sazónalos, alíñalos con aceite y vinagre y espolvoréalos con un poco de romero picado. Deja macerar durante 10-15 minutos.

Pon agua a cocer en una cazuela grande, sazona y echa un chorrito de aceite. Cuando empiece a hervir agrega las láminas de lasaña. Deja cocer según instrucciones del fabricante. Retíralas de la cazuela, refréscalas y córtalas por la mitad. Monta el plato alternando láminas de lasaña con bonito escabechado y rodaja de tomate. Añade unos dados de tomate, riega con un poco del escabeche y acompaña cada ración con un cogollo cortado en cuatro. Decora con unas ramas de cebollino.

Vierte una parte de vinagre y 2 de aceite y espolvorea con el orégano. Cocina durante 20 minutos a fuego suave.

Limpia el pescado y córtalo en rodajas finas. Sazónalas e introdúcelas en la cazuela.

Coloca los tomates en un bol, sazónalos, alíñalos con aceite y vinagre y espolvoréalos con un poco de romero picado.

Monta el plato alternando láminas de lasaña con bonito escabechado y rodaja de tomate.

El toque de Karlos

El escabeche es perfecto para aliñar otros platos, como ensaladas, platos de pasta, pescados cocidos..., así que no dudéis en reservar el escabeche sobrante en una botella de cristal dentro del frigorífico.

MACARRONES CON HONGOS Y PROVENZAL

Otoño

Ingredientes

4 personas

400 g de macarrones
½ kg de hongos
1 cebolleta
2 dientes de ajo
1 muslo de pollo
1 puerro
1 pimiento verde
agua
aceite de oliva virgen
sal
perejil

Para la provenzal
2 cucharadas de pan rallado
2 cucharadas de ajo picado
perejil picado

Elaboración

Pon en una cazuela amplia el muslo de pollo, el puerro, la cebolleta, el pimiento y unas ramas de perejil. Agrega agua, sazona y deja cocer durante 15-20 minutos. Retira el muslo y resérvalo. Desgrasa el caldo, cuélalo, reserva un poco en un cuenco y pasa el resto a una cazuela grande y ponlo a hervir.

Cuando empiece a hervir añade los macarrones y deja cocer durante 12 minutos aproximadamente, escúrrelos y sírvelos en una fuente amplia.

Pica los dientes de ajo en láminas y pon a dorar en una sartén con aceite. Pica la cebolleta finamente, añádela a la sartén y deja que se poche un poco.

Limpia los hongos, córtalos en láminas y añádelos a la sartén. Pica el muslo de pollo e incorpóralo. Saltea durante 3-4 minutos y sirve sobre los macarrones. Mezcla los ingredientes de la provenzal, espolvorea la fuente, gratina en el horno durante 3-4 minutos y sirve. Decora con una rama de perejil.

Análisis nutricional
(ración)

kilocalorías.................................. 596
proteínas.................................... 24 g
carbohidratos......................... 86 g
total grasas............................. 20 g
   monoinsaturadas.............. 10 g
   poliinsaturadas................... 3 g
   saturadas.......................... 3 g
colesterol........................... 26 mg
fibra.. 8 g

Pon en una cazuela amplia el muslo de pollo, el puerro, la cebolleta, el pimiento y unas ramas de perejil.

Añade los macarrones y deja cocer durante 12 minutos aproximadamente, escúrrelos y sírvelos en una fuente amplia.

Limpia los hongos.

Córtalos en láminas y añádelos a la sartén.

El toque de Karlos

Si quieres preparar una conserva con las setas, una vez limpias cuécelas o saltéalas ligeramente en una cazuela para que suelten parte de su agua y deja que se enfríen. Cuando estén frías se introducen en botes de agua ligeramente salada, se añade un poco de aceite y se tapan. Deben cerrarse al baño maría durante una hora.

PASTA CON BACALAO AL PIL-PIL

Otoño

Ingredientes

4 personas

400 g de pasta fresca
2 lomos de bacalao desalado
(400 g)
1 cebolleta
2 pimientos verdes
16 ajos frescos
5 dientes de ajo
un trozo de guindilla
agua
aceite de oliva virgen
sal
perejil picado

Elaboración

Pon abundante agua a cocer en una cazuela. Cuando empiece a hervir agrega un chorrito de aceite y una pizca de sal. Incorpora los espaguetis y déjalos cocer durante 3-4 minutos. Retira el agua, refresca y escurre la pasta.

Pela y fríe los dientes de ajo en una sartén con 150 ml de aceite. Cuando estén tostados, retíralos a un plato e incorpora los lomos de bacalao. Cocínalos 4-5 minutos por cada lado a fuego medio. Retira el bacalao, deja templar, quítale la piel y suéltalo en láminas.

Pasa el aceite a una salsera y déjalo templar. Cuando esté templado, añádelo nuevamente a la sartén, poco a poco, removiendo con un colador hasta que espese el aceite.

Pica la cebolleta, los pimientos y los ajos frescos y ponlos a freír en una sartén con aceite. Añade la guindilla y deja pochar durante 10 minutos. Agrega los dientes de ajo reservados anteriormente y la pasta cocida. Mezcla bien y sirve en una fuente amplia. Distribuye las láminas de bacalao sobre los espaguetis y salsea con el pil-pil. Espolvorea con perejil picado.

Análisis nutricional
(ración)

kilocalorías................................. 589
proteínas............................... 32 g
carbohidratos....................... 77 g
total grasas............................. 18 g
   monoinsaturadas............... 9 g
   poliinsaturadas.................... 2 g
   saturadas........................... 2 g
colesterol.......................... 50 mg
fibra... 1 g

Incorpora los espaguetis y déjalos cocer durante 3-4 minutos. Retira el agua, refresca y escurre la pasta.

Retira el bacalao, deja templar, quítale la piel y suéltalo en láminas.

Añádelo nuevamente a la sartén, poco a poco, removiendo con un colador hasta que espese el aceite.

Mezcla bien y sirve en una fuente amplia.

El toque de Karlos

Según los italianos, es conveniente comer la pasta "al dente" porque de ese modo hay que masticarla. Si está muy blanda, apenas se mastica y resulta indigesta.

CANELONES DE VERDURAS Y PANCETA

Invierno

Ingredientes

4 personas

16 láminas de canelón
100 g de panceta
1 cebolla
1 pimiento verde
1 calabacín
200 g de calabaza
150 g de queso curado
agua
aceite de oliva virgen
sal
perejil picado

Para la bechamel
2 cucharadas de harina
½ l de leche
aceite de oliva virgen
sal

Elaboración

Pon abundante agua a cocer en una cazuela. Cuando empiece a hervir sazona y agrega las láminas de canelón. En 10-12 minutos estarán a punto. Retíralas, pásalas por agua fría y extiéndelas sobre un paño limpio de cocina para que escurran.

Pica la cebolla y el pimiento verde finamente y ponlos a pochar en una sartén con aceite durante unos 5 minutos.

Pica la panceta en dados, añádelos y rehógalos brevemente. Pica la calabaza y el calabacín en dados y añádelos. Cocina todo junto durante 5 minutos.

Para la bechamel, pon aceite en una cazuela, añade la harina y rehógala brevemente. Vierte la leche poco a poco sin dejar de remover, sazona y cocina durante 5 minutos hasta que espese. Agrega la mitad a las verduras y reserva el resto.

Rellena los canelones y colócalos sobre una fuente apta para el horno. Añade un poco de perejil picado a la bechamel reservada anteriormente y cubre los canelones. Ralla encima el queso y gratina en el horno durante 2-3 minutos.

Cuando empiece a hervir el agua sazona y agrega las láminas de canelón.

Pica la calabaza y el calabacín en dados y añádelos.

Análisis nutricional
(ración)

kilocalorías	850
proteínas	31 g
carbohidratos	65 g
total grasas	54 g
monoinsaturadas	22 g
poliinsaturadas	9 g
saturadas	15 g
colesterol	39 mg
fibra	5 g

Agrega la mitad de la bechamel a las verduras y reserva el resto.

Rellena los canelones y colócalos sobre una fuente apta para el horno.

El toque de Karlos

Para que el gratinado quede perfecto, puedes poner unas bolitas de mantequilla sobre los canelones para que el queso se extienda y funda por igual sobre toda la superficie.

LASAÑA DE CONEJO Y ZANAHORIAS

Invierno

Ingredientes

4 personas

1 conejo
9 placas de lasaña
12 zanahorias
2 patatas
3 dientes de ajo
200 g queso curado
agua
aceite de oliva virgen
sal
perejil
pimienta

Elaboración

Pon agua a cocer en una cazuela grande. Cuando empiece a hervir añade una pizca de sal y un chorrito de aceite. Incorpora las placas de lasaña y cuécelas durante 8-10 minutos. Refréscalas y resérvalas.

Pela las patatas y la mitad de las zanahorias. Ponlas a cocer en otra cazuela con agua y una pizca de sal. Cuando estén cocidas (15 minutos) tritúralas con una batidora eléctrica y reserva la crema.

Pica el conejo en trocitos pequeños (retirándole todos los huesos) y salpimiéntalos. Pica los dientes de ajo finamente y ponlos a pochar en una sartén con un poco de aceite. Antes de que se doren agrega el resto de las zanahorias peladas y picadas en dados pequeños. Cocina durante 2-3 minutos e incorpora la carne de conejo. Cocina todo durante 8-10 minutos.

A continuación, en una fuente resistente al horno, vierte un poco de la crema de zanahorias, extiende encima 3 placas de lasaña, una capa del relleno y un poco de crema, otra capa de lasaña, otra de relleno y otro poco de crema. Para terminar, coloca 3 placas de lasaña, cúbrelas con crema de zanahorias y el queso cortado en triángulos. Gratina en el horno durante 5 minutos y sirve.

Análisis nutricional
(ración)

kilocalorías	837
proteínas	49 g
carbohidratos	60 g
total grasas	46 g
monoinsaturadas	17 g
poliinsaturadas	8 g
saturadas	15 g
colesterol	199 mg
fibra	11 g

Incorpora las placas de lasaña y cuécelas durante 8-10 minutos. Refréscalas y resérvalas.

Cuando estén cocidas las patatas y las zanahorias tritúralas con una batidora eléctrica y reserva la crema.

Cocina las zanahorias en dados durante 2-3 minutos e incorpora la carne de conejo.

Vierte un poco de la crema de zanahorias, extiende encima 3 placas de lasaña, una capa del relleno y un poco de crema.

El toque de Karlos

Si te resulta complicado deshuesar la carne de conejo en crudo puedes cocerla en la olla rápida durante 5-8 minutos. Cuando la añadas a la sartén con las zanahorias bastará saltearla brevemente para que se mezclen bien los sabores.

legumbres

POTAJE DE LENTEJAS Y SOJA CON ZANAHORIA SALTEADA

Primavera

Ingredientes

6 personas

300 g de lentejas
300 g de soja verde o mungo
300 g de chorizo
2 zanahorias
2 patatas
1 cebolla
2 dientes de ajo
agua
aceite de oliva virgen
sal
1 hoja de laurel

Elaboración

Pon la soja a remojo la víspera.

Pica la cebolla y los dientes de ajo finamente y ponlos a rehogar en la olla rápida. Cuando vaya tomando color añade la hoja de laurel, la soja, las lentejas y las patatas peladas y troceadas.

Cubre con agua, pon a punto de sal, cierra la olla y deja cocer durante 10 minutos desde el momento en que empiece a salir el vapor.

Pon el chorizo a cocer en una cazuela con agua. A los 5 minutos, pínchalo con un cuchillo y deja cocer durante 15-20 minutos más.

Pela las zanahorias y rállalas con un pelapatatas. Saltéalas brevemente en una sartén con aceite. Añádelas a las legumbres y mezcla bien. Sirve las lentejas y la soja y acompáñalas con los trozos de chorizo cocido.

Análisis nutricional
(ración)

kilocalorías	666
proteínas	45 g
carbohidratos	48 g
total grasas	34 g
monoinsaturadas	15 g
poliinsaturadas	7 g
saturadas	6 g
colesterol	30 mg
fibra	16 g

Cuando vaya tomando color, añade la hoja de laurel, la soja, las lentejas y las patatas peladas y troceadas.

Pon el chorizo a cocer en una cazuela con agua. A los 5 minutos, pínchalo con un cuchillo.

Pela las zanahorias y rállalas con un pelapatatas. Saltéalas brevemente en una sartén con aceite.

Añádelas a las legumbres y mezcla bien. Sirve las lentejas y la soja y acompáñalas con los trozos de chorizo cocido.

El toque de Karlos

La soja es un alimento muy interesante a nivel dietético pues posee "una condición única", ya que contiene proteínas de alto valor biológico casi equivalentes a las de la carne, el pescado o los huevos; además, sus grasas son de origen vegetal.

POTAJE DE GARBANZOS Y CARABINEROS

Primavera

Ingredientes

6 personas

200 g de garbanzos
8 carabineros
250 g de judías verdes
1 cebolla
2 dientes de ajo
un trozo de apio
agua
aceite de oliva virgen
sal
una rama de romero

Elaboración

Pon agua a cocer en la olla rápida. Cuando empiece a hervir añade los garbanzos (remojados de víspera), el trozo de apio y la rama de romero. Sazona, pon la tapa, colócala en la posición 2 y cuece durante 5 minutos desde el momento en que empiece a salir el vapor.

Pela y pica los dientes de ajo en láminas y ponlos a dorar en una cazuela amplia y baja. Pica la cebolla finamente e incorpórala. Sazona y rehoga durante unos minutos.

Retira las puntas y los hilos de las judías, pícalas en juliana y añádelas. Cocina todo durante 5-8 minutos.

Corta los carabineros por la mitad a lo largo, retírales cualquier suciedad que puedan tener y vuelve a cortarlos por la mitad. Añádelos a la cazuela, rehógalos un poco, incorpora los garbanzos y guisa todo durante 5 minutos.

Análisis nutricional
(ración)

kilocalorías	280
proteínas	11 g
carbohidratos	22 g
total grasas	17 g
monoinsaturadas	10 g
poliinsaturadas	2 g
saturadas	2 g
colesterol	20 mg
fibra	6 g

Sazona los garbanzos, pon la tapa, colócala en la posición 2 y cuece.

Pica la cebolla finamente e incorpórala. Sazona y rehoga durante unos minutos.

Retira las puntas y los hilos de las judías, pícalas en juliana y añádelas.

Añade los carabineros a la cazuela y rehógalos un poco.

El toque de Karlos

Si no te gustan las judías verdes no dudes en cambiarlas por otra verdura que sea más de tu agrado.

POCHAS BLANCAS CON ALITAS DE PATO

Verano

Ingredientes

4 personas

1,5 kg de pochas
8 alas de pato confitadas
1 cebolleta
100 g de calabaza
1 pimiento rojo
1 cabeza de ajos
agua
aceite de oliva virgen
sal
perejil picado

Elaboración

Pon agua en la olla rápida. Desgrana las pochas y agrégalas a la olla. Añade la cabeza de ajos y la cebolleta finamente picada. Sazona, cierra la tapa (posición 2) y deja cocer durante 5 minutos desde que empiece a salir el vapor.

Coloca las alas en una fuente apta para el horno y cocínalas en el horno a 200 grados durante 6-8 minutos.

Pica el pimiento rojo y la calabaza en dados y ponlos a pochar en una cazuela con un poco de aceite. Cocina durante 4-5 minutos.

Agrega las pochas y las alitas (para darle más sabor puedes añadir 1 cucharada de grasa de pato). Tapa la cazuela y cocina durante 5 minutos más. Sirve, por un lado, las alitas, y por otro, las pochas con las verduras. Espolvoréalas con un poco de perejil picado.

Análisis nutricional
(ración)

kilocalorías	1.381
proteínas	89 g
carbohidratos	212 g
total grasas	26 g
monoinsaturadas	12 g
poliinsaturadas	6 g
saturadas	4 g
colesterol	26 mg
fibra	81 g

Pon agua en la olla rápida. Desgrana las pochas y agrégalas. Añade la cabeza de ajos y la cebolleta picada.

Coloca las alas en una fuente apta para el horno y cocínalas en el horno durante 6-8 minutos.

Pica el pimiento rojo y la calabaza en dados y ponlos a pochar en una cazuela con un poco de aceite.

Agrega las pochas y las alitas (para darle más sabor puedes añadir 1 cucharada de grasa de pato).

El toque de Karlos

La grasa del confit se puede aprovechar para otras preparaciones, por ejemplo, una guarnición, como son las patatas panadera. Confitadas al horno con una pequeña cantidad de grasa de oca, añadiéndole ajos enteros sin pelar o cebolla muy finamente laminada, quedan deliciosas.

ALUBIAS ROJAS CON PAQUETITOS DE BERZA

Otoño

Ingredientes

4 personas

400 g de alubias rojas
1 cebolla
2 dientes de ajo
1 hoja de laurel
agua
sal

Para el relleno
200 g de callos y morros cocidos
4 hojas de berza o repollo
1 cebolla
1 pimiento verde
agua
aceite de oliva virgen
sal
1 cucharadita de pimentón

Elaboración

Pon las alubias a remojo la víspera, pásalas por agua y ponlas en la olla rápida. Cúbrelas con agua, agrega la hoja de laurel, los dientes de ajo, la cebolla bien picadita y sazona. Pon la tapa y deja cocer durante 12 minutos desde el momento en que empiece a salir el vapor.

Limpia las hojas de berza, escáldalas durante un par de minutos en una cazuela con agua hirviendo y escúrrelas.

Pica la cebolla y el pimiento finamente y pon a pochar en una sartén con aceite. Sazona y rehoga hasta que se dore. Pica los callos y los morros finamente e incorpóralos. Agrega el pimentón y cocina brevemente.

Rellena las hojas de berza con el relleno y colócalas en una fuente apta para el horno. Introduce en el horno hasta que se calienten. Retíralas y riégalas con un chorro de aceite. Acompaña las alubias con los paquetitos.

Análisis nutricional
(ración)

kilocalorías	514
proteínas	31 g
carbohidratos	62 g
total grasas	18 g
monoinsaturadas	9 g
poliinsaturadas	2 g
saturadas	2 g
colesterol	0 mg
fibra	24 g

Cubre las alubias con agua, agrega la hoja de laurel, los dientes de ajo y la cebolla bien picadita.

Limpia las hojas de berza, escáldalas durante un par de minutos en una cazuela con agua hirviendo y escúrrelas.

Pica la cebolla y el pimiento finamente y pon a pochar en una sartén con aceite.

Rellena las hojas de berza con el relleno y colócalas en una fuente apta para el horno

El toque de Karlos

Para hacer los paquetitos de berza lo mejor es utilizar las hojas más blancas y presentables, retirando el cogollo y las hojas de peor aspecto. Después se corta el nervio central para poder aplanarlas mejor.

ALUBIAS BLANCAS CON MOLLEJAS DE CORDERO

Otoño

Ingredientes

4 personas

300 g de alubias blancas
300 g de mollejas de cordero
1 puerro
1 pimiento verde
1 zanahoria
1 tomate
2 dientes de ajo
harina
agua
aceite de oliva virgen
sal
perejil

Análisis nutricional
(ración)

kilocalorías................................... 514
proteínas.................................... 27g
carbohidratos......................... 54 g
total grasas............................. 23 g
   monoinsaturadas.............. 11 g
   poliinsaturadas................... 3 g
   saturadas........................... 4 g
colesterol.....................1.646 mg
fibra... 19 g

Elaboración

Pon las alubias a remojo la víspera.

Pon agua en la olla rápida y agrega las alubias. Limpia el puerro, pícalo finamente y añádelo. Pica también el pimiento, la zanahoria y el tomate (pelado) e incorpóralos. Pon la tapa y, cuando empiece a salir el vapor, deja cocer durante 6-8 minutos.

Limpia las mollejas y pícalas en trozos de bocado. Sazónalas y enharínalas.

Pela y pica 2 dientes de ajo en láminas. Pon a freír en una sartén con aceite y antes de que se doren añade las mollejas y fríelas durante 2-3 minutos. Escúrrelas sobre un plato forrado con papel absorbente de cocina.

Sirve las alubias en una fuente amplia, coloca encima parte de las mollejas y espolvorea con un poco de perejil picado. Sirve el resto de las mollejas en un plato.

Pon agua en la olla rápida y agrega las alubias. Limpia el puerro, pícalo finamente y añádelo.

Limpia las mollejas y pícalas en trozos de bocado. Sazónalas y enharínalas.

Pela y pica 2 dientes de ajo. Pon a freír en una sartén con aceite y antes de que se doren añade las mollejas.

Sirve las alubias en una fuente amplia, coloca encima parte de las mollejas y espolvorea con un poco de perejil picado.

El toque de Karlos

Si las legumbres resultan pesadas o difíciles de digerir se debe más a sus acompañantes que al hollejo (la piel que envuelve el grano). Los platos de legumbres resultan más sabrosos y son más fáciles de digerir si se condimentan, como aconsejan algunos médicos, con plantas carminativas picadas (tomillo, estragón, salvia, comino, cilantro, eneldo, etc.), que además les aportan un sabor muy agradable.

LENTEJAS CON TOCINO, CHORIZO Y ARROZ

Invierno

Ingredientes

6 personas

500 g de lentejas
200 g de arroz integral
1 cebolla
1 cabeza de ajos entera
4 dientes de ajo
200 g de chorizo
300 g de tocino
agua
aceite de oliva virgen
sal
1 cucharadita de pimentón dulce
perejil picado

Elaboración

Pon a remojo el arroz (3 horas) y las lentejas (1 hora). Pon las lentejas en la olla rápida, agrega el chorizo, el tocino y los 4 dientes de ajo con piel. Pica finamente la cebolla y añádela. Agrega el pimentón y una pizca de sal. Pon la tapa y deja cocer durante 15 minutos.

Pon un poco de aceite en una cazuela, añade la cabeza de ajos entera, rehoga un poco y añade el arroz. Vierte el agua (triple cantidad que de arroz) y deja cocer durante 30 minutos.

Cuando las lentejas estén hechas retira los tropiezos. Corta el chorizo y el tocino en trozos de bocado, pela los ajos y aplástalos con un tenedor. Añade todo nuevamente a la cazuela y mezcla bien.

Sirve las lentejas en una fuente y en otra el arroz con la cabeza de ajos entera, espolvoreado con perejil picado.

Análisis nutricional
(ración)

kilocalorías	897
proteínas	36 g
carbohidratos	73 g
total grasas	54 g
monoinsaturadas	24 g
poliinsaturadas	5 g
saturadas	17 g
colesterol	49 mg
fibra	11 g

Pon las lentejas en la olla rápida, agrega el chorizo, el tocino y los 4 dientes de ajo con piel.

Pon un poco de aceite en una cazuela, añade la cabeza de ajos entera, rehoga un poco y añade el arroz.

Cuando las lentejas estén hechas retira los tropiezos. Corta el chorizo y el tocino en trozos de bocado.

Sirve las lentejas en una fuente y en otra el arroz con la cabeza de ajos entera, espolvoreado con perejil picado.

El toque de Karlos

Asociando legumbres y cereales se obtiene un alimento cuyas proteínas son similares a las que encontramos en la carne.

HABITAS CON SUS SACRAMENTOS

Invierno

Ingredientes

6 personas

½ kg de habitas secas
1 cebolla
1 zanahoria
1 tomate
300 g de costilla
200 g de tocino fresco
300 g de chorizo
1 oreja de cerdo
agua
aceite de oliva virgen
sal fina y gruesa
pimentón picante

Elaboración

Pon el chorizo a cocer en una cazuela con agua durante 30 minutos. Pínchalo para que suelte más grasa.

Pon la oreja, el tocino y la costilla en otra cazuela con agua. Cuécelos durante hora y media aproximadamente.

Pica la cebolla y la zanahoria finamente. Ponlas a pochar en la olla rápida con un poco de aceite. Pela el tomate, córtalo e incorpóralo. Cocina todo un poco, añade las habas y una pizca de sal. Vierte agua hasta cubrirlas. Tápalas, pon la olla en la posición 2 y cocina todo durante 10 minutos.

Si el caldo de las habas quedara líquido pon un par de cacillos en una jarra y tritúralos con una batidora eléctrica hasta conseguir un puré. Pasa el puré por un chino y échalo nuevamente a la olla.

Sirve las habas en una fuente amplia, corta el chorizo y el tocino en trozos de bocado y colócalos en la fuente.

Corta la oreja y la costilla y colócalas en una fuente amplia. Sazona la oreja con sal gruesa, riégala con un chorrito de aceite y espolvoréala con un poco de pimentón.

Pon la oreja, el tocino y la costilla en otra cazuela con agua. Cuécelos durante hora y media aproximadamente.

Pica la cebolla y la zanahoria finamente. Ponlas a pochar en la olla rápida con un poco de aceite.

Análisis nutricional
(ración)

kilocalorías	899
proteínas	49 g
carbohidratos	31 g
total grasas	65 g
monoinsaturadas	30 g
poliinsaturadas	7 g
saturadas	20 g
colesterol	95 mg
fibra	24 g

Pasa el puré por un chino y échalo nuevamente a la olla.

Corta la oreja y la costilla y colócalas en una fuente amplia.

El toque de Karlos

Las habas secas no presentan, en general, problemas para su almacenamiento. Basta con conservarlas en un recipiente cerrado en un lugar fresco y seco.

ALUBIAS DE TOLOSA CON PASTEL DE BERZA Y MORCILLA

Invierno

Ingredientes

6 personas

½ kg de alubias de Tolosa
½ berza
1 morcilla de Beasain
100 g de guindillas en vinagre
3 huevos
½ vaso de nata líquida
1 puerro
1 zanahoria
1 cabeza de ajos
pan rallado
agua
aceite de oliva virgen
sal
perejil

Elaboración

Limpia la berza y pícala. Ponla a cocer en una cazuela con agua y una pizca de sal. Déjala cocer durante 30 minutos. Escúrrela bien.

En otra cazuela pon a cocer la morcilla con una pizca de sal y una ramita de perejil. Déjala cocer durante 30 minutos. Escúrrela y retírale la piel.

Unta unos moldes de ración con aceite y espolvoréalos con un poco de pan rallado. Rellena un tercio con la berza picada y otro tercio con la morcilla. Bate los huevos con un poco de sal, añade la nata y sigue batiendo. Rellena los moldecitos con esta mezcla. Introduce en el horno al baño maría a 180 grados durante 30 minutos. Deja que se templen y desmóldalos.

Pon las alubias (remojadas de víspera) en la olla rápida, cúbrelas con agua, agrega la zanahoria pelada, el puerro limpio y cortado y la cabeza de ajos entera y sin pelar. Pon la tapa (posición 2) y deja cocer durante 12 minutos. Quita la tapa y, si quedara la salsa muy ligera, dale un hervor durante 2-3 minutos moviendo un poco la cazuela.

Sirve las alubias, los pasteles y las guindillas.

Análisis nutricional
(ración)

kilocalorías	693
proteínas	30 g
carbohidratos	57 g
total grasas	40 g
monoinsaturadas	18 g
poliinsaturadas	4 g
saturadas	13 g
colesterol	149 mg
fibra	20 g

Pon la berza a cocer en una cazuela con agua y una pizca de sal. Déjala cocer durante 30 minutos. Escúrrela bien.

En otra cazuela pon a cocer la morcilla con una pizca de sal y una ramita de perejil.

Rellena un tercio con la berza picada y otro tercio con la morcilla.

Agrega la zanahoria pelada, el puerro limpio y cortado y la cabeza de ajos entera y sin pelar.

El toque de Karlos

Cuando prepares alubias no conviene cocinar nunca diferentes variedades juntas. Cada una tiene un tiempo de cocción distinto. Por el mismo motivo, hay que evitar cocer juntas legumbres compradas en diversos sitios y tiempos y, por supuesto, las de diferentes años.

sopas, cremas y gazpachos

SOPA FRÍA DE GUISANTES

Primavera

Ingredientes

4 personas

3 kg de guisantes frescos
2 cebolletas
2 patatas
6 lonchas de jamón serrano
hojas de canónigo
agua
aceite de oliva virgen
sal

Elaboración

Extiende las lonchas de jamón sobre una placa de horno cubierta con papel de hornear. Tápalas con otro papel de hornear y colócales encima algo de peso (puede ser otra placa). Introduce en el horno a 150 grados durante 30 minutos, hasta que queden tostadas y crujientes. Retira la grasa de las lonchas de jamón y tritúralas con el molinillo de café hasta que queden convertidas en polvo.

Pica las cebolletas finamente y ponlas a pochar en una cazuela con aceite. Pela las patatas y córtalas en lonchitas o trozos pequeños como si fueras a hacer una tortilla de patata e incorpóralas. Añade los guisantes, sazona, cubre con agua y cocínalos durante 10-15 minutos. Tritura con una batidora eléctrica, pásala por un colador y deja enfriar. Agrega agua fría (hasta conseguir el punto deseado), sirve y espolvorea con polvo de jamón.

Fríe las hojas de canónigo en una sartén con aceite. Escúrrelas sobre un plato forrado con papel absorbente de cocina y decora la sopa.

Retira la grasa de las lonchas de jamón.

Añade los guisantes, cubre con agua y cocínalos durante 10-15 minutos.

Análisis nutricional
(ración)

kilocalorías	331
proteínas	17 g
carbohidratos	24 g
total grasas	19 g
monoinsaturadas	11 g
poliinsaturadas	2 g
saturadas	3 g
colesterol	21 mg
fibra	6 g

Tritura con una batidora eléctrica, pásala por un colador y deja enfriar.

Fríe las hojas de canónigo en una sartén con aceite.

El toque de Karlos

Cuando vayas a hacer polvo de jamón es importante quitar bien las partes grasas porque tienden siempre a formar bolas (nunca pierde del todo la humedad, sobre todo con altas temperaturas) y el polvo se pone grumoso. Y por otra parte, su conservación es mucho peor ya que la grasa siempre tiende a ponerse rancia.

GAZPACHO DE AGUACATE

Verano

Ingredientes

4 personas

3 aguacates
½ calabacín
½ pepino
un trozo de pimiento verde
1 diente de ajo
30 g de miga de pan
unas ramitas de cebollino
agua
aceite de oliva virgen
vinagre
sal

Guarnición
100 g de jamón
1 tomate
¼ de pimiento rojo
2 huevos cocidos
unas rebanadas de pan tostado

Elaboración

Pon la miga de pan a remojar en un cuenco con un poco de agua.

Corta los aguacates por la mitad (retira los huesos), pélalos y pícalos. Limpia el calabacín y el pimiento, trocéalos y añádelos al cuenco. Pela el pepino y el diente de ajo, pícalos y añádelos. Pica también unas ramas de cebollino e incorpóralas. Sazona todo, vierte un chorrito de vinagre y un poco de agua y tritura con una batidora eléctrica.

Si estuviera muy espeso, vierte un poco más de agua. Añade un poco de aceite, mezcla bien y pásalo por el chino.

Pela el tomate y los huevos cocidos y pícalos en daditos. Pica también el pimiento rojo. Sirve todo en un platito. Corta el jamón en lonchas finas, colócalas en un plato y coloca al lado las rebanadas de pan tostado. Sirve el gazpacho y acompáñalo con la guarnición.

Pon la miga de pan a remojar en un cuenco con un poco de agua.

Corta los aguacates por la mitad (retira los huesos), pélalos y pícalos.

Análisis nutricional
(ración)

kilocalorías	518
proteínas	19 g
carbohidratos	18 g
total grasas	42 g
monoinsaturadas	26 g
poliinsaturadas	4 g
saturadas	6 g
colesterol	102 mg
fibra	5 g

Si estuviera muy espeso, vierte un poco más de agua. Añade un poco de aceite, mezcla bien y pásalo por el chino.

Corta el jamón en lonchas finas, colócalas en un plato y coloca al lado las rebanadas de pan tostado.

El toque de Karlos

Para enfriar el gazpacho, colocadlo en una jarra, tapadlo con film de cocina e introducidlo en el frigorífico. A no ser que el gazpacho esté muy espeso, nunca hay que servirlo con cubitos de hielo ya que se aguará. Si tenéis mucha prisa en enfriarlo podéis añadir unos hielos, mezclarlo brevemente y retirarlos.

SOPA DE PESCADO CON GELATINA DE CARABINEROS

Otoño

Ingredientes

4 personas

1 rape de 1,5 kg
8 carabineros
1 puerro
1 zanahoria
1 cebolla
½ copa de jerez
½ copa de brandy
1 vaso de salsa de tomate
12 hojas de gelatina
agua
aceite de oliva virgen
sal
pimienta
unos granos de pimienta negra
2 hojas de laurel
perejil

Elaboración

Pon a cocer en una cazuela con agua unos granos de pimienta negra, las hojas de laurel, el jerez, el puerro, la cebolla, la zanahoria, la cabeza del rape (reserva los lomos), unas ramas de perejil, y las cabezas de los carabineros. Sazona, deja cocer durante 15-20 minutos, retírale la espuma y cuélalo.

Corta 4 carabineros en trozos y cocínalos durante 5 minutos en una cazuela con un poco de aceite. Añade la salsa de tomate y sigue rehogando. Vierte medio litro del caldo de pescado y deja que hierva.

Pon las hojas de gelatina en un bol con agua fría. Cuando se ablanden añádelas a la cazuela de los carabineros con la salsa de tomate. Mezcla todo y cuélalo sobre un recipiente rectangular. Deja que se temple e introduce en el frigorífico hasta que se endurezca.

Pela los otros 4 carabineros y córtalos en rodajas. Trocea los lomos de rape en dados. Salpiméntalos y saltea todo brevemente en una sartén con un poco de aceite. Vierte el brandy, flambea y espolvorea con un poco de perejil picado. Sirve en cada plato un poco de carne de rape, un poco de carne de carabinero y un trozo de gelatina. Vierte el caldo de pescado encima y a comer.

Análisis nutricional
(ración)

kilocalorías.................................. 706
proteínas.................................. 95 g
carbohidratos........................ 12 g
total grasas............................ 26 g
    monoinsaturadas.............. 12 g
    poliinsaturadas.................... 6 g
    saturadas............................ 4 g
colesterol........................ 217 mg
fibra.. 3 g

Pon a cocer en una cazuela con agua la cabeza del rape (reserva los lomos).

Corta 4 carabineros en trozos y cocínalos durante 5 minutos en una cazuela con un poco de aceite.

Mezcla todo y cuélalo sobre un recipiente rectangular.

Sirve en cada plato un poco de carne de rape, un poco de carne de carabinero y un trozo de gelatina.

El toque de Karlos

Cuando hagas un caldo de pescado nunca debe hervir más de 30 minutos porque se avinagraría. No lo olvides.

CREMA DE PUERROS CON QUESO FRITO

Otoño

Ingredientes

6 personas

6 puerros
3 patatas
3 zanahorias
200 g de queso curado
harina
huevo batido
pan rallado
agua
aceite de oliva virgen
sal

Elaboración

Corta los puerros por la mitad, pícalos, colócalos en un colador y límpialos bien bajo el agua del grifo. Pela las patatas y trocéalas.

Pon un poco de agua en la olla, añade los puerros, las patatas y una pizca de sal. Pon la tapa (posición 1) y deja cocer durante 3 minutos desde el momento en que empiece a salir el vapor. Tritura y cuela la crema.

Pela las zanahorias y con el mismo pelador saca unas tiras finas. Saltéalas en una sartén con un poco de aceite.

Corta el queso en triángulos o en rectángulos de bocado, rebózalos con harina, huevo batido y pan rallado. Fríelos en una sartén con aceite y escúrrelos. Sirve la crema de puerros y acompáñala con zanahorias salteadas y queso frito.

Análisis nutricional
(ración)

kilocalorías.................................. 376
proteínas.................................... 17 g
carbohidratos........................ 25 g
total grasas............................. 23 g
   monoinsaturadas............... 9 g
   poliinsaturadas.................... 3 g
   saturadas........................... 8 g
colesterol......................... 59 mg
fibra.. 5 g

Corta los puerros por la mitad, pícalos, colócalos en un colador y límpialos bien bajo el agua del grifo.

Pon un poco de agua en la olla, añade los puerros, las patatas y una pizca de sal.

Pela las zanahorias y con el mismo pelador saca unas tiras finas.

Corta el queso en triángulos o en rectángulos de bocado, rebózalos con harina, huevo batido y pan rallado.

El toque de Karlos

Hablando de sopas y cremas, si decidís utilizar alguna carcasa de pollo para preparar un caldo sustancioso es probable que quede un poco grasiento. Si lo metéis en el frigorífico la grasa se solidificará, subirá a la superficie y podréis retirarla fácilmente con una espumadera.

SOPA DE AJO CON ALMEJAS Y JAMÓN

Invierno

Ingredientes

8 personas

1 barra de pan de la víspera
½ kg de almejas
200 g de jamón
4 dientes de ajo
2 l de caldo de verduras
aceite de oliva virgen
sal
perejil

Elaboración

Con un cuchillo de sierra corta el pan en medias lunas y ponlo a rehogar en una cazuela con un poco de aceite. Remuévelo mientras se tuesta un poco.

Cuela encima el caldo de verduras. Sazona y deja cocer durante 15 minutos. Limpia las almejas, añádelas y deja cocer hasta que se abran.

Pela y pica los dientes de ajo y ponlos en el mortero. Agrega un poco de sal y de perejil picado y maja todo bien. Vierte el majado a la sopa y dale un breve hervor.

Pica el jamón y saltéalo en una sartén con un poco de aceite. Añádelo a la sopa, mezcla y sirve en una sopera.

Análisis nutricional
(ración)

kilocalorías	264
proteínas	15 g
carbohidratos	20 g
total grasas	14 g
monoinsaturadas	9 g
poliinsaturadas	2 g
saturadas	3 g
colesterol	32 mg
fibra	1 g

Con un cuchillo de sierra corta el pan en medias lunas y ponlo a rehogar en una cazuela con un poco de aceite.

Cuela encima el caldo de verduras. Sazona y deja cocer durante 15 minutos.

Pela y pica los dientes de ajo y ponlos en el mortero. Agrega un poco de sal y de perejil picado y maja todo bien.

Pica el jamón y saltéalo en una sartén con un poco de aceite. Añádelo a la sopa, mezcla y sirve en una sopera.

El toque de Karlos

Con el pan viejo se pueden hacer muchas cosas, desde elaborar una deliciosa sopa, como la de esta receta, pasando por otros platos típicos de la gastronomía española, como las migas o las torrijas..., hasta rallarlo para rebozar o para espesar salsas.

Invierno

Ingredientes
6 personas

200 g de garbanzos
½ pollo
200 g de morcillo
200 g de costilla de ternera
1 hueso de rodilla
4 rebanadas de pan
4 yemas de huevo
2 zanahorias
1 cebolla
1 copa de jerez
agua
aceite de oliva virgen
sal
ramitas de cilantro

Elaboración

Pon a hervir en la olla rápida el agua, los garbanzos, el pollo, el hueso, las carnes y unas ramas de cilantro. Después de hervir unos minutos desespuma con la ayuda de un cacillo, cierra la olla y cuece durante 10 minutos desde el momento en que empiece a salir el vapor. Destapa la olla y saca los ingredientes cocidos, retira los trozos de grasa que puedan tener y pícalos. Retira las ramitas de cilantro, cuela el caldo y resérvalo.

Tuesta las rebanadas de pan en el horno.

Pica finamente la cebolla y las zanahorias y ponlas a pochar en una sartén con aceite y un poquito de sal. Añade la carne picada, los garbanzos y calienta todo a fuego suave. Coloca todo en una fuente.

En el momento de servir, coloca una yema en cada cuenco. Agrega una gotita de jerez sobre cada yema y, a continuación, vierte el consomé suavemente. Acompaña cada cuenco con una rebanada de pan tostado. Sirve aparte la fuente de carne con verdura y garbanzos.

Análisis nutricional
(ración)

kilocalorías...................................... 885
proteínas................................... 50 g
carbohidratos........................ 49 g
total grasas............................. 52 g
   monoinsaturadas.............. 25 g
   poliinsaturadas.................. 7 g
   saturadas........................ 16 g
colesterol........................ 432 mg
fibra... 10 g

Pon a hervir en la olla rápida el agua, los garbanzos, el pollo, el hueso, las carnes y unas ramas de cilantro.

Pica finamente la cebolla y las zanahorias y ponlas a pochar en una sartén con aceite y un poquito de sal.

Añade la carne picada, los garbanzos y calienta todo a fuego suave.

Agrega una gotita de jerez sobre cada yema y, a continuación, vierte el consomé suavemente.

El toque de Karlos

Una vez que empieza la cocción de los garbanzos no debe añadirse nunca agua fría o cualquier otro elemento (chorizo, sal, etc...) que haga descender la temperatura, ya que si no se pondrán duros.

huevos

HUEVOS FRITOS IÑAKITXO

Primavera

Ingredientes

4 personas

4 huevos
4 patatas
12 pimientos del piquillo
aceite de oliva virgen
sal
azúcar
8 hojas de albahaca

Para la salsa
8 pimientos del piquillo
1 cebolleta
2 dientes de ajo
½ cucharada de harina
1 vaso de vino blanco
1 vaso de agua
aceite de oliva virgen
sal

Análisis nutricional
(ración)

kilocalorías.................................. 450
proteínas............................... 12 g
carbohidratos....................... 34 g
total grasas............................ 27 g
    monoinsaturadas.............. 15 g
    poliinsaturadas................... 3 g
    saturadas.......................... 4 g
colesterol......................... 205 mg
fibra.. 5 g

Elaboración

Para la salsa de pimientos, pica la cebolleta y los dientes de ajo y ponlos a dorar. Añade los piquillos cortados en tiras y la harina y rehoga un poco. Vierte el vino blanco y el agua y deja reducir durante 20 minutos. Tritura con una batidora eléctrica y dale el punto de sal.

Pon un poco de aceite en una sartén y coloca los pimientos en círculo formando una flor. Espolvoréalos con un poco de sal y de azúcar y cocínalos a fuego suave por los dos lados durante 20 minutos.

Pela las patatas, pícalas en bastones finos (patatas paja) y ponlas a freír en una sartén grande con aceite. Antes de que se frían del todo retíralas, ponlas a punto de sal y escúrrelas.

Divide las patatas en 4 porciones y vuelve a freír cada porción de una en una. Casca un huevo sobre cada porción de patatas, sazona y fríelo. Después de freír todos los huevos, fríe las hojas de albahaca y coloca 2 sobre cada huevo. Sirve en cada plato un huevo con patatas y albahaca, 3 pimientos y un poco de salsa.

Vierte el vino blanco y el agua y deja reducir durante 20 minutos. Tritura con una batidora eléctrica.

Pon un poco de aceite en una sartén coloca los pimientos en círculo formando una flor.

Pela las patatas, pícalas en bastones finos (patatas paja) y ponlas a freír en una sartén grande con aceite.

Casca un huevo sobre cada porción de patatas, sazona y fríelo.

El toque de Karlos

Los huevos crudos se deben mantener en casa en su paquete original y dentro del frigorífico. Retira el número de huevos que necesites y devuelve el envase de cartón al frigorífico. Para usarlos en su mejor momento de calidad se deberán consumir antes de las 4 semanas posteriores a la puesta.

MILHOJAS DE TORTILLA

Primavera

Ingredientes

5 personas

10 huevos
24 gambas
24 ajos frescos
8 champiñones
2 cebolletas
2 dientes de ajo
2-3 cucharadas de salsa de tomate
4 pimientos del piquillo
aceite de oliva virgen
sal
azúcar
perejil

Elaboración

Pon un poco de aceite en una fuente apta para el horno. Abre los pimientos por la mitad. Añádeles una pizca de sal y otra de azúcar e introdúcelos en el horno a 170 grados durante 10 minutos.

Pica las cebolletas finamente y ponlas a pochar en una sartén con un poco de aceite. Limpia y pica los champiñones en láminas, añádelos a la sartén, sazona y deja que se pochen bien. Bate 3 huevos, sazónalos, agrega los champiñones y mezcla bien. Vuelca todo nuevamente a la sartén y haz la tortilla.

Pica los ajos frescos y dóralos en una sartén con un poco de aceite. Bate 3 huevos, sazónalos y añade los ajos frescos. Haz la tortilla. Pica 2 dientes de ajo finamente, dóralos en una sartén con un poco de aceite. Bate 4 huevos, sazónalos, pela las gambas, pícalas y añádelas a los huevos. Haz la tortilla.

Sirve la tortilla de champiñones en el fondo de la fuente, coloca encima los pimientos del piquillo, después la tortilla de ajos frescos, extiende encima la salsa de tomate y finalmente coloca la tortilla de gambas. Decora con una rama de perejil.

Pon un poco de aceite en una fuente apta para el horno. Abre los pimientos por la mitad.

Vuelca todo nuevamente a la sartén y haz la tortilla.

Análisis nutricional
(ración)

kilocalorías.................................. 362
proteínas................................... 18 g
carbohidratos........................ 10 g
total grasas.............................. 28 g
   monoinsaturadas.............. 15 g
   poliinsaturadas.................... 4 g
   saturadas........................... 5 g
colesterol........................ 431 mg
fibra... 2 g

Pica los ajos frescos y dóralos en una sartén con un poco de aceite. Bate 3 huevos, sazónalos y añade los ajos frescos.

Sirve la tortilla de champiñones en el fondo de la fuente y coloca encima los pimientos del piquillo.

El toque de Karlos

Puedes utilizar la misma sartén para hacer las tres tortillas. Bastará con que pases un papel absorbente de cocina para retirar cualquier resto que pueda quedar, vierte un poco de aceite limpio y procede a hacer la siguiente tortilla.

JUDÍAS CON JAMÓN Y HUEVOS ESCALFADOS

Verano

Ingredientes

4 personas

800 g de judías verdes
5 patatas
4 huevos
200 g de jamón
2 dientes de ajo
agua
aceite de oliva virgen
sal

Análisis nutricional
(ración)

kilocalorías...................................... 530
proteínas.. 30 g
carbohidratos...................... 39 g
total grasas.............................. 29 g
   monoinsaturadas............... 15 g
   poliinsaturadas.................... 4 g
   saturadas............................ 6 g
colesterol........................ 240 mg
fibra... 8 g

Elaboración

Pela las patatas y trocéalas. Pon agua en la olla rápida, añade las patatas y sazónalas. Coloca encima el accesorio para cocinar al vapor.

Limpia las judías, retírales las puntas y los hilos y pícalas a tu gusto. Pela los dientes de ajo y añádelos. Sazona, tapa y deja cocer durante 5-6 minutos desde el momento en que empiece a salir el vapor.

Retira las judías y resérvalas. Escurre las patatas y pásalas por el pasapurés. Vierte un chorro de aceite y sazona. Pica un poco de jamón finamente, incorpóralo y mezcla todo bien.

Pon agua a cocer en una cazuela; cuando empiece a hervir baja el fuego de forma que no salgan borbotones y escalfa los huevos.

Sirve en 4 raciones distribuyendo las judías alrededor de cada plato, en el centro pon un poco de puré y encima un huevo. Dispón sobre las judías unas rodajas de jamón, sazona todo y riega con un chorro de aceite.

Pela las patatas y trocéalas. Pon agua en la olla rápida, añade las patatas y sazónalas.

Limpia las judías, retírales las puntas y los hilos y pícalas a tu gusto. Pela los dientes de ajo y añádelos.

Pica un poco de jamón finamente, incorpóralo y mezcla todo bien.

Pon agua a cocer en una cazuela y escalfa los huevos.

El toque de Karlos

Para saber si las judías están frescas basta con acercar los extremos de la judía, si se dobla significa que no son frescas, en cambio, si se rompen, sí lo son.

GRATINADO DE PIPERRADA Y HUEVO

Verano

Ingredientes

4 personas

8 huevos
8 rebanadas de pan
8 lonchas de jamón curado
2 patatas
1 cebolla blanca
1 cebolla roja
1 pimiento morrón
2 pimientos verdes
4 dientes de ajo
12 ajos frescos
aceite de oliva virgen
sal

Elaboración

Pela 3 dientes de ajo, córtalos en láminas y ponlos freír en una sartén con un poco de aceite. Pica las cebollas y los pimientos (verde y rojo) y los ajos frescos e incorpóralos.

Pela las patatas y con el mismo pelador saca láminas finas de las patatas e incorpóralas. Sazona y cocina todo hasta que quede bien pochado (aproximadamente 20 minutos).

Distribuye la fritada en 4 recipientes aptos para el horno. Casca sobre cada uno 2 huevos, sazónalos y gratina en el horno brevemente.

Fríe las rebanadas de pan en una sartén con aceite. Escúrrelas y úntalas con el otro diente de ajo. Pasa las lonchas de jamón por una sartén caliente, vuelta y vuelta. Retira los huevos del horno, acompáñalos con un par de rodajas de jamón y un par de rodajas de pan.

Análisis nutricional
(ración)

kilocalorías.................................. 533
proteínas............................... 22 g
carbohidratos...................... 52 g
total grasas........................... 28 g
   monoinsaturadas............ 14 g
   poliinsaturadas.................... 4 g
   saturadas.......................... 5 g
colesterol........................ 409 mg
fibra....................................... 5 g

Pica las cebollas y los pimientos (verde y rojo) y los ajos frescos e incorpóralos.

Pela las patatas y con el mismo pelador saca láminas finas de las patatas e incorpóralas.

Casca sobre cada uno 2 huevos, sazónalos y gratina en el horno brevemente.

Fríe las rebanadas de pan en una sartén con aceite. Escúrrelas y úntalas con el otro diente de ajo.

El toque de Karlos

Hay que cascar los huevos en el momento de ir a consumirlos. Si realizamos el cascado del huevo y tardamos en cocinarlo, numerosos microorganismos que están en el ambiente pueden llegar al huevo, y como éste es un rico medio de cultivo puede contaminarse.

TORTILLA "ROPA VIEJA"

Otoño

Ingredientes

4 personas

5-6 huevos
400 g de zancarrón de ternera
2 tomates
4 cebolletas
1 puerro
1 zanahoria
1 pimiento verde
2 dientes de ajo
2 pimientos del piquillo
agua
aceite de oliva virgen
vinagre de módena
sal
perejil

Elaboración

Pon agua en la olla rápida. Añade la carne, el puerro, la zanahoria, una cebolleta, unas ramas de perejil y sazona. Ciérrala con la tapa y deja cocer durante 20 minutos desde el momento en que empiece a salir el vapor. Retira la carne y pícala.

Pon un poco de aceite en una sartén, añade los dientes de ajo cortados en láminas. Cuando empiecen a dorarse agrega las otras 3 cebolletas y el pimiento verde cortados en juliana fina. Sazona y deja que se poche muy bien. Cuando esté bien pochado agrega los pimientos rojos cortados en tiras. Añade también la carne y mezcla bien.

Coloca los huevos en un bol, sazona y espolvorea con perejil picado. Bátelos, añade la carne con la fritada y bate nuevamente.

Vierte en una sartén bien caliente y haz la tortilla. Sirve en un plato y decora con una rama de perejil. Pela los tomates, córtalos en rodajas gruesas y colócalas en un plato. Aliña con aceite, vinagre y un poco de sal gruesa.

Análisis nutricional
(ración)

kilocalorías	450
proteínas	33 g
carbohidratos	14 g
total grasas	30 g
monoinsaturadas	15 g
poliinsaturadas	3 g
saturadas	6 g
colesterol	366 mg
fibra	5 g

Pon agua en la olla rápida. Añade la carne, el puerro, la zanahoria, una cebolleta, unas ramas de perejil y sazona.

Cuando todo esté bien pochado añade también la carne y mezcla bien.

Bate los huevos, añade la carne con la fritada y bate nuevamente.

Vierte en una sartén bien caliente y haz la tortilla.

El toque de Karlos

No tires el caldo resultante de cocer la carne. Aprovéchalo para preparar una sopa de fideos o de estrellitas para la noche.

REVUELTO DE PATATAS Y MOLLEJAS

Invierno

Ingredientes

4 personas

6 huevos
6 mollejas de pato
4 patatas
12 ajos frescos
1 cebolleta
1 pimiento verde
2 rebanadas de pan de molde
aceite de oliva virgen
una nuez de mantequilla
sal
perejil picado

Elaboración

Separa las mollejas de la grasa y pon ésta a calentar.

Pela y pica las patatas en tacos y ponlas a freír en una sartén con la grasa de pato hasta que cojan un poco de color.

Pica la cebolleta y el pimiento e incorpóralos a la sartén. Cocina durante 3 minutos, pica los ajos frescos y añádelos. Pica también las mollejas y agrégalas. Cocina todo junto durante unos 3 minutos y escurre bien.

Coloca las patatas nuevamente en la sartén, agrega los huevos, sazona, espolvorea con perejil picado, mezcla bien y haz el revuelto.

Retira la corteza de los panes de molde, corta cada rebanada en tres triángulos y fríelos en una sartén con aceite. Cuando estén dorados, sácalos y escúrrelos. Unta una de las puntitas de cada triángulo con un poco de mantequilla a punto de pomada y con un poco de perejil picado. Sirve el revuelto en una fuente amplia y acompaña con los panes fritos.

Análisis nutricional
(ración)

kilocalorías.................................. 516
proteínas................................... 21 g
carbohidratos.......................... 37 g
total grasas................................ 32 g
   monoinsaturadas............. 16 g
   poliinsaturadas.................... 4 g
   saturadas............................ 7 g
colesterol........................ 338 mg
fibra.. 4 g

Pela y pica las patatas en tacos y ponlas a freír en una sartén con la grasa de pato hasta que cojan un poco de color.

Pica también las mollejas y agrégalas. Cocina todo junto durante unos 3 minutos y escurre bien.

Coloca las patatas nuevamente en la sartén, agrega los huevos, sazona, espolvorea con perejil picado, mezcla bien y haz el revuelto.

Retira la corteza de los panes de molde, corta cada rebanada en tres triángulos y fríelos en una sartén con aceite.

El toque de Karlos

Para acompañar el revuelto puedes cortar el pan de la forma que más te guste: en bastones, triángulos o circunferencias. Lo que sí es importante es que los escurras bien sobre papel absorbente de cocina para retirar el exceso de aceite.

carnes

CARRÉ DE CORDERO CON VERDURAS AL VAPOR

Primavera

Ingredientes

4 personas

1 carré de cordero (1,2 kg)
un cuello de cordero
4 puerros
4 zanahorias
4 cebolletas pequeñas
8 espárragos verdes
100 g de judías verdes
1 vaso de vino tinto
agua
harina de maíz refinada
aceite de oliva virgen
sal
5 dientes de ajo
1 cucharadita de canela en polvo
1 cucharadita de cebollino picado
1 pizca de tomillo
1 pizca de orégano
unos granos de pimienta negra

Análisis nutricional
(ración)

kilocalorías	847
proteínas	51 g
carbohidratos	22 g
total grasas	59 g
monoinsaturadas	25 g
poliinsaturadas	3 g
saturadas	24 g
colesterol	196 mg
fibra	7 g

Elaboración

Salpimienta el costillar, córtalo en 4 y ponlo en un recipiente grande.
Agrega la canela, el cebollino y un buen chorro de aceite. Mezcla bien y
deja macerar durante 30 minutos. Coloca los trozos en un recipiente apto
para el horno y ásalo a 200 grados durante 30 minutos.

Pon los trozos de cuello y los dientes de ajo en una cazuela con aceite y
fríelos hasta que se doren. Añade una pizca de sal, una pizca de orégano,
una pizca de tomillo, los granos de pimienta negra, un vaso de vino tinto y
un vaso de agua. Mezcla y deja reducir durante 30 minutos. Retira los trozos
de carne y cuela la salsa. Pásala a una cazuela y lígala con un poco de
harina de maíz refinada diluida en agua.

Limpia o pela las verduras (según el caso), corta los puerros en trozos de
6 cm; retira la parte baja del tallo de los espárragos, retira los hilos de las
judías verdes y deja las cebolletas y las zanahorias enteras.

Pon agua en el fondo de la olla rápida. Coloca encima el accesorio para
cocer al vapor y dispón encima las verduras.

Cierra la olla y cuece durante 2-3 minutos desde el momento en que
empiece a salir el vapor. Sirve el carré, salséalo y acompáñalo con las
verduras al vapor.

Agrega al costillar la canela, el cebollino y un buen chorro de aceite.
Mezcla bien y deja macerar durante
30 minutos.

Pon los trozos de cuello y los dientes
de ajo en una cazuela con aceite y
fríelos hasta que se doren.

Limpia o pela las verduras, según sea
el caso.

Pon agua en el fondo de la olla rápida. Coloca encima el accesorio
para cocer al vapor y dispón encima las verduras.

152

El toque de Karlos

Cuando uséis especias para cocinar hay que tener en cuenta su fuerza, sabor y aroma. Por lo general, conviene emplearlas con moderación porque un exceso puede enmascarar el sabor propio de los alimentos condimentados.

Primavera

Ingredientes

4 personas

2 de filetes hermosos de ternera
1 filete hermoso de cerdo
150 g de arroz basmati
2-3 cucharadas de sake
2-3 cucharadas de salsa de soja
1 cucharadita de azúcar moreno
un poco de ralladura de naranja
1 pizca de jengibre fresco
3 dientes de ajo
20-30 granos de pimienta de Jamaica
pimienta negra
agua
aceite de oliva virgen
sal
perejil

Análisis nutricional
(ración)

kilocalorías.................................. 458
proteínas............................... 34 g
carbohidratos........................ 31 g
total grasas.............................. 22 g
   monoinsaturadas............. 12 g
   poliinsaturadas................... 2 g
   saturadas........................... 4 g
colesterol.......................... 85 mg
fibra...................................... 0 g

Elaboración

Corta los filetes de ternera y el de cerdo en tiras, salpimienta y reserva. Mezcla en un cuenco el sake con la salsa de soja, el azúcar moreno, la ralladura de naranja, un poco de jengibre rallado, un poquito de aceite, sal y pimienta negra. Agrega la carne y deja macerar durante media hora. Escurre y reserva.

En una sartén saltea la carne macerada (y bien escurrida) con un poquito de aceite. Condimenta con pimienta de Jamaica y resérvala en un plato. En la misma sartén añade la mezcla del macerado y deja reducir la salsa durante 4-5 minutos. Incorpora las tiras de carne.

En una cazuela dora los dientes de ajo con un chorrito de aceite. Cuando estén dorados añade el arroz y a continuación agrega el agua (la medida del arroz y un poquito más). Sazona y cocina unos 12 minutos. Pasado este tiempo, deja reposar 4-5 minutos.

Coloca en un plato el arroz con los dientes de ajo. Dispón la carne al lado y vierte la salsa reducida por encima. Decora con una ramita de perejil.

Corta los filetes de ternera y el de cerdo en tiras, salpimienta y reserva.

Agrega la carne y deja macerar durante media hora.

En una sartén saltea la carne macerada con un poquito de aceite. Condimenta con pimienta de Jamaica y resérvala en un plato.

Sazona y cocina unos 12 minutos. Pasado este tiempo, deja reposar 4-5 minutos.

El toque de Karlos

En la cocina occidental el jengibre puede emplearse en guisos de carne y aves, sopas de verdura y platos de pescado. También se utiliza en tartas, panes, bizcochos y galletas.

CHULETAS DE CERDO CON GARBANZOS FRITOS

Primavera

Ingredientes

4 personas

4-8 chuletas de cerdo
250 g de garbanzos
3 cebollas
1 pimiento verde
1 puerro
1 zanahoria
3 dientes de ajo
agua
aceite de oliva virgen
sal
pimienta
azúcar
perejil

Elaboración

Pon los garbanzos a remojo la víspera.

Pon agua a cocer en la olla rápida. Cuando empiece a hervir añade los garbanzos. Pica finamente el puerro, la zanahoria y el pimiento e incorpóralos. Pon la tapa y deja cocer durante 15 minutos desde el momento en que empiece a salir el vapor. Retíralos y escúrrelos bien. Fríelos en una sartén con un poco de aceite hasta que se doren.

Pica las cebollas y ponlas a pochar en una sartén con un poco de aceite. Añade una pizca de sal y otra de azúcar y cocínalas bien durante 15 minutos aproximadamente. Cuando estén doradas pásalas por el pasapurés.

Pica los dientes de ajo con un poco de perejil. Coloca todo en un mortero y maja todo bien. Vierte un poco de aceite y mezcla bien.

Salpimienta las chuletas, úntalas con un poco del majado y cocínalas a la plancha. Sirve las chuletas, acompáñalas con los garbanzos fritos y la mermelada de cebolla. Decora con una rama de perejil.

Análisis nutricional
(ración)

kilocalorías.................................... 676
proteínas...................................... 39 g
carbohidratos........................ 46 g
total grasas.............................. 39 g
   monoinsaturadas.............. 20 g
   poliinsaturadas.................. 10 g
   saturadas.......................... 10 g
colesterol........................ 101 mg
fibra... 12 g

Cuando empiece a hervir el agua añade los garbanzos. Pica finamente el puerro, la zanahoria y el pimiento e incorpóralos.

Pon la tapa y deja cocer durante 15 minutos desde el momento en que empiece a salir el vapor. Retíralos y escúrrelos bien.

Pica los dientes de ajo con un poco de perejil. Coloca todo en un mortero y maja todo bien. Vierte un poco de aceite y mezcla bien.

Salpimienta las chuletas, úntalas con un poco del majado y cocínalas a la plancha.

El toque de Karlos

Es importante poner los garbanzos a cocer en agua caliente. Si los pones a cocer en agua fría se encallan y será difícil que se ablanden.

DELICIAS DE LENGUA Y QUESO

Primavera

Ingredientes

6 personas

1 lengua de ternera
200 g de queso
1 puerro
½ cebolla
6 zanahorias
2 patatas
harina
huevo
pan rallado
2 dientes de ajo
agua
aceite de oliva virgen
aceite de oliva virgen extra
sal
20 granos de pimienta negra
perejil

Elaboración

Pela las patatas y las zanahorias, trocéalas y ponlas a cocer en una cazuela con agua y una pizca de sal durante 18-20 minutos. Retira casi todo el agua y tritura con una batidora eléctrica. Vierte una cucharada de aceite virgen extra y mezcla bien.

Lava la lengua y ponla en la olla rápida. Agrega media cebolla, el puerro, los granos de pimienta negra y una pizca de sal. Pon la tapa y deja cocer durante 25 minutos.

Déjala templar, pélala, retírale la piel y córtala en filetes finos (puedes cortarla con una cortadora eléctrica).

Coloca una loncha de queso entre 2 filetes de lengua.

Pásalos por harina, huevo batido y pan rallado y fríelos en una sartén con aceite y un diente de ajo sin pelar (cuando se tueste demasiado, retíralo y añade uno nuevo).

Sirve las delicias de lengua y queso, acompáñalas con el puré y adorna con una rama de perejil.

Pela las patatas y las zanahorias, trocéalas y ponlas a cocer en una cazuela con agua y una pizca de sal durante 18-20 minutos.

Retira casi todo el agua y tritura con una batidora eléctrica. Vierte una cucharada de aceite virgen extra y mezcla bien.

Lava la lengua y ponla en la olla rápida. Agrega media cebolla, el puerro, los granos de pimienta negra y una pizca de sal.

Pásalos por harina, huevo batido y pan rallado y fríelos en una sartén con aceite y un diente de ajo sin pelar.

Análisis nutricional
(ración)

kilocalorías	471
proteínas	34 g
carbohidratos	21 g
total grasas	28 g
monoinsaturadas	7 g
poliinsaturadas	1 g
saturadas	2 g
colesterol	196 mg
fibra	5 g

El toque de Karlos

Si te sobra lengua cocida y no piensas utilizarla en los próximos 2 días, envuélvela bien en film de cocina, ponle fecha y congélala. Para descongelarla, lo mejor será que lo hagas la víspera y dentro del frigorífico.

FILETE RUSO DE JAMÓN Y QUESO

Primavera

Ingredientes

6 personas

600 g de carne picada
100 g de jamón cocido
100 g de jamón serrano
150 g de queso curado
1 huevo
2 cebolletas
3 dientes de ajo
hojas de lechuga variadas
harina
huevo batido
aceite de oliva virgen
vinagre
sal
pimienta
perejil

Para la fritada
4 tomates
2 cebollas
aceite de oliva virgen
sal

Análisis nutricional
(ración)

kilocalorías.............................. 525
proteínas................................. 42 g
carbohidratos....................... 11 g
total grasas............................. 35 g
   monoinsaturadas.............. 17 g
   poliinsaturadas................... 4 g
   saturadas......................... 10 g
colesterol....................... 131 mg
fibra.. 4 g

Elaboración

Para la fritada, pica las cebollas en juliana fina, ponlas a pochar en una cazuela con aceite y sazónalas. Cuando esté bien dorada, pela el tomate, córtalo en dados y añádelos. Cocina durante unos 10 minutos aproximadamente.

Pica 1 diente de ajo y dóralo un poco en una sartén con un poco de aceite. Agrega una cebolleta finamente picada y cocina hasta que se dore todo bien. Pon la carne en un recipiente grande, agrega la cebolla con el ajo (dorados), un poco de perejil picado, el jamón cocido, el jamón serrano y el queso cortados en daditos y el huevo. Salpimienta y amasa a mano.

Coge pequeñas porciones de carne, forma los filetes y pásalos por harina y huevo batido. Con un cuchillo aplasta un par de dientes de ajo y ponlos a freír en una sartén con aceite. Cuando se doren, fríe los filetes rusos 2-3 minutos por cada lado.

Limpia la lechuga, escúrrela, trocéala y colócala en un bol. Pica una cebolleta y añádela. Aliña con aceite, vinagre y sal y mezcla bien. Sirve los filetes rusos, acompáñalos con la fritada y la ensalada.

Para la fritada, pica las cebollas en juliana fina, ponlas a pochar en una cazuela con aceite y sazónalas.

Pon la carne en un recipiente grande, agrega la cebolla con el ajo, perejil picado, el jamón cocido, el jamón serrano, el queso y el huevo.

Coge pequeñas porciones de carne, forma los filetes y pásalos por harina y huevo batido.

Limpia la lechuga, escúrrela, trocéala y colócala en un bol. Pica una cebolleta y añádela.

El toque de Karlos

Aunque se puede picar también carne de primera, la gran ventaja de este procedimiento es que convierte la carne dura en blanda; así, la carne de inferior calidad, al picarla, mejora en consistencia ya que la picadora desmenuza los tejidos.

CONEJO CON CARACOLES

Verano

Ingredientes

4 personas

½ conejo
100 caracoles cocidos
150 g de jamón serrano
150 g de chorizo para cocinar
1 vaso de tomate casero
2 cebollas
4 dientes de ajo
4 pimientos del piquillo
1 vaso de vino blanco
agua
aceite de oliva virgen
sal
pimienta
pimentón
½ guindilla picante
perejil picado

Elaboración

Saca los caracoles de sus conchas, quítales la parte negra del final. Pica el jamón en daditos e introduce un trozo dentro de cada caparazón. Mete también el caracol.

Pica los dientes de ajo y ponlos a dorar en una cazuela con aceite. Antes de que se doren agrega las cebollas picadas y la guindilla. Sazona y cocina durante unos 5 minutos.

Pica el chorizo, añádelo y espolvorea la cazuela con un poco de pimentón.

Trocea el conejo y salpimiéntalo. Rehógalo un poco y vierte el vino blanco y agua hasta cubrir. Guísalo durante 20 minutos aproximadamente.

Pica los pimientos y agrégalos. Añade también la salsa de tomate y los caracoles. Cocina todo junto a fuego lento durante 5-8 minutos. Sirve y espolvorea con un poco de perejil picado.

Saca los caracoles de sus conchas, quítales la parte negra del final. Pica el jamón en daditos e introduce un trozo dentro de cada caparazón.

Pica los dientes de ajo y ponlos a dorar en una cazuela con aceite. Antes de que se doren agrega las cebollas picadas y la guindilla.

Rehoga el conejo un poco y vierte el vino blanco y agua hasta cubrir. Guísalo durante 20 minutos aproximadamente.

Pica los pimientos y agrégalos. Añade también la salsa de tomate y los caracoles. Cocina todo junto a fuego lento durante 5-8 minutos.

Análisis nutricional
(ración)

kilocalorías.................................. 631
proteínas.............................. 53 g
carbohidratos......................... 8 g
total grasas............................ 39 g
   monoinsaturadas.............. 19 g
   poliinsaturadas................... 6 g
   saturadas........................... 9 g
colesterol......................... 245 mg
fibra... 3 g

El toque de Karlos

Si los caracoles te quedan muy picantes, parte una manzana por la mitad, añádela al guiso y déjala cocer cinco minutos. Retírala con cuidado y a comer. Si persiste el picante, puedes repetir la operación por segunda vez.

BROCHETA DE CORDERO Y PLÁTANO AL CURRY

Verano

Ingredientes

4 personas

400 g de carne de cordero
2 plátanos
8 orejones de albaricoque
1 vaso de vino Pedro Ximénez
aceite de oliva virgen
sal
pimienta

Para la salsa
1 cebolla
½ l de caldo de carne
1 plátano
1 cucharada de harina
1 cucharadita de curry
aceite de oliva virgen
sal

Elaboración

Corta la carne de cordero en trozos de bocado y salpimiéntala. Fríela en una sartén con un poco de aceite.

Pon los orejones en una cazuela, vierte el vino Pedro Ximénez, cuécelos durante 5 minutos y escúrrelos.

Retira los trozos de carne de la sartén, pica la cebolla en juliana fina y añádela a la sartén. Rehógala un poco, añade un plátano pelado y cortado en lonchas. Agrega la harina y el curry, mezcla bien, vierte el caldo y cocina durante 15 minutos. Pasa la salsa a una jarra y tritura con una batidora eléctrica.

Pela los otros 2 plátanos y córtalos en trozos de bocado. Monta las brochetas, ensartando un trozo de plátano, un trozo de carne, un orejón, un trozo de carne y un trozo de plátano. Fríelas en una sartén con un poco de aceite.

Sirve las brochetas en una fuente y salséalas.

Análisis nutricional
(ración)

kilocalorías	602
proteínas	27 g
carbohidratos	36 g
total grasas	36 g
monoinsaturadas	19 g
poliinsaturadas	3 g
saturadas	10 g
colesterol	97 mg
fibra	4 g

Corta la carne de cordero en trozos de bocado y salpimiéntala. Fríela en una sartén con un poco de aceite.

Pon los orejones en una cazuela, vierte el vino Pedro Ximénez, cuécelos durante 5 minutos y escúrrelos.

Agrega la harina y el curry, mezcla bien, vierte el caldo y cocina durante 15 minutos. Pasa la salsa a una jarra y tritura con una batidora eléctrica.

Monta las brochetas, ensartando un trozo de plátano, un trozo de carne, un orejón, un trozo de carne y otro de plátano. Fríelas en una sartén.

El toque de Karlos

Puedes hacer las brochetas fritas o al horno. Si las vas a hacer en el horno y utilizas brochetas de madera te aconsejo ponerlas en agua durante 20 minutos antes de usarlas. De esta forma evitarás que se quemen.

HÍGADO DE TERNERA CON PIMIENTOS VERDES FRITOS

Verano

Ingredientes

4 personas

4 filetes de hígado de ternera
4 cebollas
250 g de tomates cherry
24 pimientos verdes pequeños
4 dientes de ajo
aceite de virgen
3 cucharadas de vinagre
sal
perejil picado
pan rallado

Elaboración

Pela y pica las cebollas en juliana fina y ponlas a pochar en una sartén con aceite. Cuando estén bien doradas agrega los tomates cherry y cocínalos durante 5 minutos más.

Pon el vinagre en un bol, pela y pica los dientes de ajo en láminas y añádelos. Retira los nervios y los bordes de los filetes de hígado y colócalos en el bol. Déjalos macerar durante unos 10-15 minutos.

Retíralos, escúrrelos bien, sálalos y pásalos por una mezcla de pan rallado y perejil picado. Fríelos en una sartén con aceite.

Pincha los pimientos con un palillo y ponlos a freír en una sartén con aceite. Retíralos a un plato y sálalos. Sirve los filetes de hígado, acompáñalos con los pimientos verdes fritos y con la fritada de cebolla y tomate.

Cuando las cebollas estén bien doradas agrega los tomates cherry.

Retira los nervios y los bordes de los filetes de hígado y colócalos en el bol.

Análisis nutricional
(ración)

kilocalorías.................................... 378
proteínas.............................. 33 g
carbohidratos........................ 24 g
total grasas............................ 17 g
    monoinsaturadas............... 8 g
    poliinsaturadas................... 3 g
    saturadas............................ 4 g
colesterol........................ 449 mg
fibra.. 6 g

Retíralos, escúrrelos bien, sálalos y pásalos por una mezcla de pan rallado y perejil picado.

Pincha los pimientos con un palillo y ponlos a freír en una sartén con aceite. Retíralos a un plato y sálalos.

El toque de Karlos

Antes de freír un filete de hígado es recomendable retirarle los bordes con un cuchillo. De esta forma no se encogerán ni abombarán al freírlos.

TACOS DE JAMÓN CON VERDURAS ASADAS

Verano

Ingredientes

4 personas

800 g de cadera de cerdo
1 berenjena
4 cebolletas
1 pimiento rojo
2 pimientos verdes
8 dientes de ajo
aceite de oliva virgen
sal
pimienta
perejil

Elaboración

Limpia las verduras, colócalas sobre una placa de horno, sazónalas y riégalas con un chorro de aceite. Introduce en el horno (previamente calentado) y ásalas durante 30 minutos a 180 grados. Cuando estén hechas, pélalas y córtalas en tiras. Alíñalas con aceite y sal.

Corta la carne de cerdo en tacos y salpimiéntalos.

Pon los ajos (con piel) a freír en una sartén con aceite. Añade la carne y fríela.

Sirve las verduras en una fuente y los tacos de carne en otra. Decora con una rama de perejil.

Limpia las verduras, colócalas sobre una placa de horno, sazónalas y riégalas con un chorro de aceite.

Cuando estén hechas, pélalas y córtalas en tiras. Alíñalas con aceite y sal.

Análisis nutricional
(ración)

kilocalorías.................................. 487
proteínas..................................... 39 g
carbohidratos........................ 12 g
total grasas.............................. 32 g
   monoinsaturadas............. 17 g
   poliinsaturadas................... 7 g
   saturadas........................... 8 g
colesterol......................... 125 mg
fibra... 4 g

Corta la carne de cerdo en tacos y salpimiéntalos.

Sirve las verduras en una fuente y los tacos de carne en otra. Decora con una rama de perejil.

El toque de Karlos

La cadera es la parte carnosa más delicada del jamón, con una calidad que no tiene nada que envidiar al filete o solomillo. Carne indicada para sacar filetes y escalopes y muy apropiada para asar al horno.

169

Verano

Ingredientes

10 personas

3 kg de lomo alto deshuesado
20 chalotas
1 cucharadita de mantequilla
1 cucharadita de miel
4 patatas
1 vaso de vino tinto
1 vaso de vino oporto
1 vaso de mahonesa
1 cucharada de cebolleta
1 cucharada de pepinillos en
vinagre
1 cucharada de alcaparras
1 cucharada de mostaza
1 cucharada de zumo de limón
harina de maíz
agua
aceite de oliva virgen
sal
perejil picado

Análisis nutricional
(ración)

kilocalorías	1.014
proteínas	45 g
carbohidratos	15 g
total grasas	82 g
monoinsaturadas	38 g
poliinsaturadas	6 g
saturadas	31 g
colesterol	258 mg
fibra	1 g

Elaboración

Ata la pieza de carne con una lid de cocina. Dórala en una cazuela con un poco de aceite. Colócala sobre un recipiente refractario apropiado para el horno y sazónala. Introduce en el horno a 160-180 grados durante 35-40 minutos. A los 20 minutos, voltea la pieza. Cuando esté hecha, deja que se enfríe y córtala en filetes finos.

Pon un poco de aceite en una sartén, añade la mantequilla, la miel y las chalotas. Cocina a fuego suave durante 15-20 minutos.

Pela las patatas, trocéalas y ponlas a cocer en una cazuela con abundante agua y una pizca de sal. Cuando estén hechas pásalas por el pasapurés y añádeles un chorro de aceite y un poco de perejil picado.

Para la salsa de oporto, pon a reducir, el vino tinto y el oporto durante unos 10 minutos a fuego suave. Añade un poco de harina de maíz diluida en agua y mezcla bien.

Para la salsa tártara, pon en un recipiente, la mahonesa, la cebolleta picada, las alcaparras, los pepinillos, la mostaza, el zumo de limón y una pizca de perejil. Mezcla bien.

Sirve la carne, acompáñala con el puré de patatas, las chalotas y las salsas.

Cuando esté hecha la carne deja que se enfríe y córtala en filetes finos.

Pela las patatas, trocéalas y ponlas a cocer en una cazuela con abundante agua y una pizca de sal.

Cuando estén hechas las patatas pásalas por el pasapurés y añádeles un chorro de aceite y un poco de perejil picado.

Para la salsa de oporto, pon a reducir, el vino tinto y el oporto durante unos 10 minutos a fuego suave.

El toque de Karlos

Para preparar roast beef se utiliza el lomo (bajo o alto). Del lomo bajo se sacan unos entrecots estupendos. El lomo alto, igualmente delicioso para entrecots, es muy apropiado para hacer roast beef. En este caso conviene dejarle una capita de grasa, y dejar la carne lo más cruda posible dentro de los gustos de cada uno.

MANITAS DE CORDERO A LA VIZCAÍNA

Otoño

Ingredientes

4 personas

12 manitas de cordero
10 pimientos choriceros
2 cebollas rojas
4 dientes de ajo
1 cucharadita de harina
agua
aceite de oliva virgen
sal
20 granos de pimienta blanca
1 cayena
romero
perejil

Elaboración

Blanquea las manitas en una olla con agua hirviendo y un poco de sal. Después de retirar las impurezas, ponlas a cocer en la olla rápida con un poco de sal y los granos de pimienta blanca durante 10 minutos. Reserva el caldo.

Retira el tallo y las pepitas a los pimientos choriceros. Ponlos a cocer en una cazuela con agua durante 10 minutos. Escúrrelos, retira la carne, pícala y resérvala.

Pica las cebollas y ponlas a rehogar en una cazuela con un poco de aceite. Pica los ajos e incorpóralos. Añade la carne de los pimientos choriceros y mezcla bien. Incorpora la cayena, una cucharadita de harina y rehoga bien. Añade poco a poco el caldo de las manitas y deja hervir la salsa 4 o 5 minutos.

Tritura la salsa con el pasapurés e introduce las manitas. Guísalo durante 4-5 minutos y sirve en una fuente amplia. Decora con una ramita de perejil y otra de romero.

Análisis nutricional
(ración)

kilocalorías	723
proteínas	58 g
carbohidratos	6 g
total grasas	52 g
monoinsaturadas	24 g
poliinsaturadas	3 g
saturadas	20 g
colesterol	234 mg
fibra	2 g

Blanquea las manitas en una olla con agua hirviendo y un poco de sal.

Retira el tallo y las pepitas a los pimientos choriceros.

Pica las cebollas y ponlas a rehogar en una cazuela con un poco de aceite. Pica los ajos e incorpóralos.

Tritura la salsa con el pasapurés e introduce las manitas. Guísalo durante 4-5 minutos y sirve en una fuente amplia.

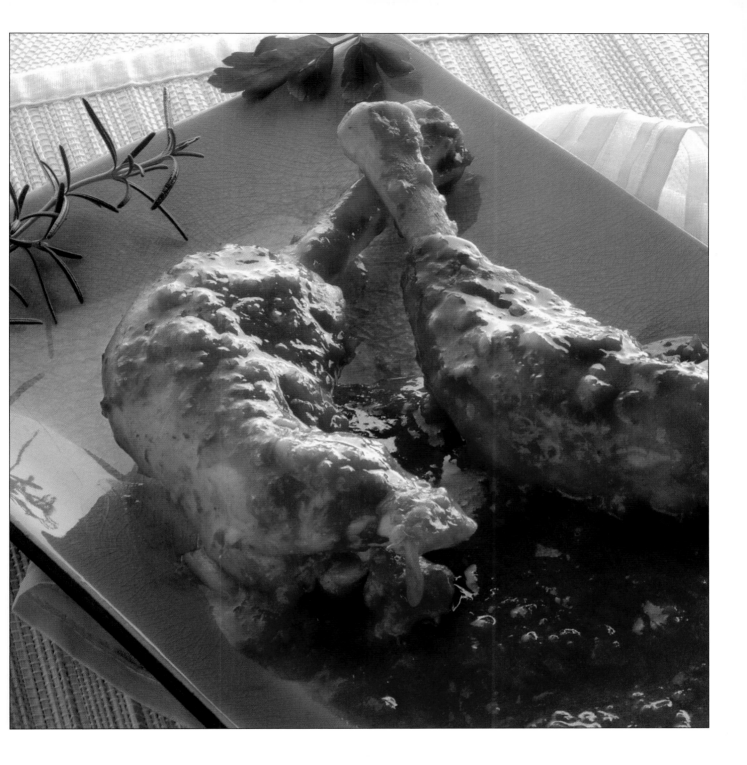

El toque de Karlos

Los pimientos choriceros son la base de la salsa vizcaína. A la hora de comprarlos hay que fijarse en la forma, concretamente en la punta inferior: los mejores acaban en cuatro puntas.

CONEJO CON PATATAS AL AROMA DE LAUREL

Otoño

Ingredientes

6 personas

1 conejo limpio
5 patatas
1 cebolla
1 pimiento verde
½ pimiento rojo
1 cabeza de ajos
2 dientes de ajo
6 rebanadas de pan
1 vaso grande de vino blanco
1 vaso grande de agua
aceite de oliva virgen
sal
20 granos de pimienta negra
1-2 hojas de laurel
perejil

Elaboración

Trocea el conejo en trozos pequeños, sazónalo y agrégale los granos de pimienta negra. Fríelo en una cazuela con aceite. Cuando haya cogido color agrega la cabeza de ajos entera y la hoja de laurel.

Pica la cebolla, los pimientos (verde y rojo) y los 2 dientes de ajo en dados pequeños. Añádelos a la cazuela y rehoga un poco.

Vierte el vino y el agua. Pela las patatas, trocéalas e incorpóralas. Sazona nuevamente y guisa durante 20 minutos.

Coloca las rebanadas de pan en el horno y tuéstalas. Saca la cabeza de ajos del guiso, pela los dientes, aplástalos con un tenedor, échales un chorrito de aceite y un poco de perejil picado y mezcla bien. Unta los panes con esta pasta.

Sirve el conejo y acompáñalo con los panes con crema de ajo.

Análisis nutricional
(ración)

kilocalorías	492
proteínas	29 g
carbohidratos	38 g
total grasas	22 g
monoinsaturadas	9 g
poliinsaturadas	5 g
saturadas	6 g
colesterol	161 mg
fibra	4 g

Trocea el conejo en trozos pequeños, sazónalo y agrégale los granos de pimienta negra.

Fríelo en una cazuela con aceite. Cuando haya cogido color agrega la cabeza de ajos entera y la hoja de laurel.

Pela las patatas, trocéalas e incorpóralas al guiso

Coloca las rebanadas de pan en el horno y tuéstalas. Después, úntalas con la pasta.

El toque de Karlos

Se pueden recoger hojas de laurel durante todo el año para su uso en fresco o hacer ramilletes para secar en otoño, bien sea en la oscuridad o al horno. Las hojas secas tienen un sabor más intenso que las frescas.

TERNERA ASADA EN CAZUELA

Otoño

Ingredientes

6 personas

1 redondo de espalda
½ kg de hongos
4 patatas
1-2 cebolletas
7 dientes de ajo
1 cucharadita de harina de maíz
refinada
agua
aceite de oliva virgen
sal
pimienta
perejil picado

Elaboración

Salpimienta la carne, ponla a dorar a fuego fuerte en una cazuela con aceite y 4 dientes de ajo sin pelar. Baja el fuego y cocínala durante 20-30 minutos (dependiendo del punto al que te guste la carne) a fuego suave con la tapa puesta. Deja que se temple, retira la carne y córtala en filetes gruesos.

Diluye la harina de maíz en agua, agrégala a la cazuela donde ha quedado el jugo de la carne y dale un hervor, moviendo ligeramente la cazuela hasta que espese.

Pela y trocea las patatas cascándolas. Colócalas en una cazuela, cúbrelas con agua, sazónalas y cuécelas durante 18-20 minutos. Pásalas por el pasapurés y si hiciera falta aligera con el líquido resultante de cocer las patatas. Sazona, espolvorea con perejil y mezcla bien.

Pica las cebolletas y los otros 3 dientes de ajo y pon a pochar en una sartén con aceite. Limpia los hongos, córtalos en láminas y añádelos a la sartén. Saltéalos y agrégalos al puré de patata. Sirve en una fuente grande, la carne a un lado y el puré de patatas con hongos al otro.

Análisis nutricional
(ración)

kilocalorías.................................. 723
proteínas................................. 35 g
carbohidratos........................ 20 g
total grasas.............................. 57 g
   monoinsaturadas.............. 26 g
   poliinsaturadas.................... 4 g
   saturadas........................... 21 g
colesterol........................ 142 mg
fibra.. 4 g

Una vez cocinada la carne, deja que se temple y córtala en filetes gruesos.

Diluye la harina de maíz en agua, agrégala a la cazuela donde ha quedado el jugo de la carne y dale un hervor.

Pela y trocea las patatas cascándolas. Colócalas en una cazuela, cúbrelas con agua, sazónalas y cuécelas durante 18-20 minutos.

Sirve en una fuente grande, la carne a un lado y el puré de patatas con hongos al otro.

El toque de Karlos

Todo aficionado a las setas debe salir al monte con el equipo apropiado para la recolección de las setas, y especialmente debe ir provisto de una buena cesta y una navaja. Nunca se deben utilizar bolsas de plástico, pues las setas se estropean con facilidad y se acelera su descomposición.

RABO AL TXAKOLÍ

Invierno

Ingredientes

4 personas

1 rabo de ternera
½ l de txakolí
3 zanahorias
4 patatas
8 dientes de ajo
aceite de oliva virgen
sal
25 g de pimienta negra
1 hoja de laurel
perejil picado

Elaboración

Pela los dientes de ajo y ponlos a dorar en aceite en la olla rápida. Retíralos y resérvalos.

Corta el rabo, sazónalo, añádelo a la olla y dóralo bien.

Añade la hoja de laurel, los granos de pimienta, el txakolí y los ajos fritos anteriormente. Pon a punto de sal. Cierra la olla y deja cocer durante 30 minutos desde el momento en que empiece a salir el vapor.

Pela las patatas y las zanahorias y tornéalas.

Enfría la olla y ábrela, agrega las patatas y las zanahorias. Vuelve a cerrar la olla y cocina durante 3-4 minutos más.

Sirve y espolvorea con perejil picado.

Análisis nutricional
(ración)

kilocalorías.................................. 513
proteínas.............................. 31 g
carbohidratos....................... 32 g
total grasas........................... 19 g
    monoinsaturadas.............. 11 g
    poliinsaturadas.................... 2 g
    saturadas............................ 3 g
colesterol.......................... 87 mg
fibra.. 5 g

Pela los dientes de ajo y ponlos a dorar en aceite en la olla rápida. Retíralos y resérvalos.

Corta el rabo, sazónalo, añádelo a la olla y dóralo bien. Añade la hoja de laurel, los granos de pimienta, el txakolí y los ajos fritos anteriormente.

Pela las patatas y las zanahorias y tornéalas.

Enfría la olla y ábrela, agrega las patatas y las zanahorias. Vuelve a cerrar la olla y cocina durante 3-4 minutos más.

El toque de Karlos

Si ves que la salsa queda muy ligera, retira una patata y aplástala con un tenedor e incorpórala nuevamente al guiso. Remueve el guiso y listo.

Invierno

Ingredientes

4-6 personas

1 aleta de ternera
3 lonchas gruesas de jamón cocido
200 g de queso en lonchas
20 chalotas
12 patatas pequeñas
2 vasos de nata líquida
2 vasos de agua
aceite de oliva virgen
sal
pimienta
perejil picado

Elaboración

Abre la aleta, dejándola abierta como si fuera un libro, salpiméntala, extiende encima las lonchas de jamón cocido y cúbrelas con las lonchas de queso.

Enróllala como si fuera un brazo gitano y átala con una cuerda especial de cocina. Dórala bien en una sartén con un poco de aceite. Coloca la aleta en una fuente apta para el horno, vierte la nata y el agua e introduce en el horno a 180 grados durante 45 minutos.

Cepilla las patatas bajo el grifo de agua, colócalas en una cazuela con 4 cucharadas de aceite y cocínalas a fuego suave durante 20 minutos. Pela las chalotas y cocínalas en una sartén con un par de cucharadas de aceite a fuego suave durante 20 minutos.

Para servir, retira la aleta de la fuente, quítale el hilo y córtala en filetes. Acompaña la carne con las patatas, las chalotas y la salsa. Espolvorea con un poco de perejil picado.

Análisis nutricional
(ración)

kilocalorías	902
proteínas	52 g
carbohidratos	45 g
total grasas	59 g
monoinsaturadas	14 g
poliinsaturadas	2 g
saturadas	6 g
colesterol	138 mg
fibra	5 g

Abre la aleta y salpiméntala, extiende encima las lonchas de jamón cocido y cúbrelas con las lonchas de queso.

Coloca la aleta en una fuente apta para el horno, vierte la nata y el agua e introduce en el horno a 180 grados durante 45 minutos.

Pon las patatas en una cazuela con 4 cucharadas de aceite y cocínalas a fuego suave durante 20 minutos.

Retira la aleta de la fuente, quítale el hilo y córtala en filetes.

El toque de Karlos

Para atar la carne, pon el hilo alrededor de una mano y con el extremo del mismo haz un lazo. Desliza el lazo sobre la carne y aprieta. Repite la operación a lo largo del rollo y al final anuda los extremos para que no se suelten.

LOMO DE CERDO ASADO CON BOLITAS DE GARBANZOS

Invierno

Ingredientes

4 personas

1 kg de lomo de cerdo
250 g de garbanzos
½ vaso de brandy
1 vaso de caldo de carne
1 vaso de leche
50 g de tocino
1 puerro
harina
huevo batido
pan rallado
agua
aceite de oliva virgen
sal
perejil

Análisis nutricional
(ración)

kilocalorías.................................. 864
proteínas.................................. 69 g
carbohidratos........................ 57 g
total grasas.............................. 36 g
    monoinsaturadas.............. 18 g
    poliinsaturadas.................... 6 g
    saturadas............................ 8 g
colesterol........................ 203 mg
fibra.. 10 g

Elaboración

Pon los garbanzos a remojo la víspera. Ponlos a cocer en la olla rápida (es importante que el agua esté hirviendo) y sazónalos. Cocínalos durante 15-20 minutos.

Sazona la carne y hazle unos cortes en forma de rombo por la parte superior. Colócala en una fuente de horno, rocíala con un chorro de aceite, el brandy y el caldo. Ásala en el horno (previamente calentado) a 200 grados durante 30 minutos. Pasa la salsa a una cazuela, dale un hervor y lígala con un poco de harina y mezcla hasta que espese. Resérvala.

Pica el tocino en dados pequeños y sofríelo en una sartén (no hace falta añadir aceite). Cuando se dore, pica el puerro finamente e incorpóralo. Añade los garbanzos y cocina todo durante 5 minutos. Pasa todo por el pasapurés.

Rehoga una cucharada de harina en una cazuela, vierte la leche poco a poco y remueve hasta que espese. Añade esta bechamel al puré de garbanzos, mezcla, pasa a una bandeja y deja enfriar. Haz bolitas, pásalas por harina, huevo batido y pan rallado y fríelas en una sartén con aceite. Sirve el lomo en filetes, salséalos y acompáñalos con las bolitas de garbanzo. Decora con una ramita de perejil.

Pon los garbanzos a cocer en la olla rápida (es importante que el agua esté hirviendo) y sazónalos.

Sazona la carne y hazle unos cortes en forma de rombo por la parte superior.

Pica el tocino en dados pequeños y sofríelo en una sartén (no hace falta añadir aceite). Añade el puerro y los garbanzos.

Haz bolitas de garbanzos y fríelas en una sartén con aceite.

El toque de Karlos

Aunque algunos recomiendan añadir un poco de bicarbonato al agua del remojo de las legumbres, no os lo recomiendo porque perderán muchas vitaminas y minerales.

Invierno

Ingredientes

4 personas

1,5 kg de costilla de cerdo
3 patatas
2 tomates
1 escarola
2 dientes de ajo
aceite de oliva virgen
zumo de 1 limón
vinagre
sal fina y gruesa
pimienta negra
tomillo

Elaboración

Pon un poco de sal gruesa en el mortero. Pela y pica 2 dientes de ajo y añádelos al mortero junto con las hojitas de tomillo. Maja bien, añade el zumo de limón y un buen chorro de aceite. Mezcla bien y pasa el majado a un bol grande.

Corta las costillas a lo largo por la parte de la carne que hay entre costilla y costilla. Salpiméntalas y pásalas por el majado. Colócalas en una placa de horno y ásalas en el horno a 200 grados durante 35 minutos aproximadamente.

Pela las patatas, córtalas a tu gusto y fríelas en una sartén con abundante aceite. Escúrrelas y añádelas a la placa de las costillas. Mantenlas calientes en el horno mientras preparas los tomates.

Limpia los tomates, córtalos en rodajas de 2 centímetros y fríelos en una sartén con abundante aceite. Limpia la escarola, escúrrela y pícala. Alíñala con aceite, vinagre y sal. Sirve las costillas y las patatas en una fuente y la escarola en otra.

Análisis nutricional
(ración)

kilocalorías	1.120
proteínas	58 g
carbohidratos	21 g
total grasas	90 g
monoinsaturadas	40 g
poliinsaturadas	8 g
saturadas	28 g
colesterol	252 mg
fibra	4 g

Pon un poco de sal gruesa en el mortero. Pela y pica 2 dientes de ajo y añádelos al mortero junto con las hojitas de tomillo.

Corta las costillas a lo largo por la parte de la carne que hay entre costilla y costilla. Salpiméntalas y pásalas por el majado.

Pela las patatas, córtalas a tu gusto y fríelas en una sartén con abundante aceite.

Limpia los tomates, córtalos en rodajas de 2 centímetros y fríelos en una sartén con abundante aceite.

El toque de Karlos

No dudes en aprovechar el aceite sobrante de freír las patatas. Pásalo a un tarro de cristal, pero no olvides introducir un cubierto de metal para que éste absorba el calor y no se rompa el tarro.

TRENZAS DE SOLOMILLO CON QUESO Y PISTACHOS

Invierno

Ingredientes

4 personas

2 solomillos de cerdo
4 lonchas de queso semicurado
3 peras
½ rama de canela
50 g de pistachos pelados
un poco de agua
aceite de oliva virgen
sal
pimienta
perejil

Elaboración

Pela las peras y trocéalas. Colócalas en una cazuela, agrega la rama de canela y un poco de agua. Cuécelas durante 10-15 minutos.

Corta cada solomillo en dos, de forma que salgan 4 filetes largos y estrechos. Con un cuchillo divide cada filete en 3 tiras, dejándolo unido por la parte más gruesa. Haz una trenza con cada trozo. Salpiméntalas y fríelas en una sartén con aceite.

Coloca las trenzas en la placa de horno y cubre cada una con una loncha de queso. Pica los pistachos y espolvorea por encima. Gratina en el horno hasta que se funda el queso y se tuesten los pistachos. Sirve en una fuente amplia las trenzas de solomillo, al lado coloca las peras cocidas y riégalas con un chorro de aceite. Decora con una rama de perejil.

Análisis nutricional
(ración)

kilocalorías	577
proteínas	51 g
carbohidratos	13 g
total grasas	36 g
monoinsaturadas	19 g
poliinsaturadas	4 g
saturadas	11 g
colesterol	139 mg
fibra	3 g

Pela las peras y trocéalas. Colócalas en una cazuela, agrega la rama de canela y un poco de agua.

Con un cuchillo divide cada filete en 3 tiras, dejándolo unido por la parte más gruesa. Haz una trenza con cada trozo.

Salpiméntalas y fríelas en una sartén con aceite.

Coloca las trenzas en la placa de horno y cubre cada una con una loncha de queso.

El toque de Karlos

Lo mejor para conservar el queso es mantenerlo en el frigorífico bien cubierto para evitar que absorba olores extraños. A la hora de consumirlo es conveniente dejarlo durante media hora a temperatura ambiente. De esta forma apreciarás mejor su sabor y textura.

aves

MUSLOS RELLENOS CON TORTITAS DE PATATA Y BONIATO

Primavera

Ingredientes

4 personas

4 muslos de pollo
4 lonchas de jamón cocido
4 lonchas de queso semicurado
2 tomates
1 cebolleta
2 dientes de ajo
1 patata
1 boniato
aceite de oliva virgen
agua
sal
pimienta
perejil picado

Elaboración

Con un cuchillo bien afilado y siguiendo el hueso deshuesa los muslos de pollo y salpiméntalos. Extiéndelos con la parte de la piel hacia abajo y coloca sobre la parte interior una loncha de jamón y una loncha de queso.

Enróllalos y átalos con una cuerda de cocina. Muele un poco de pimienta por encima y dóralos en una sartén con un poco de aceite.

Pica la cebolleta y los dientes de ajo, incorpóralos a la cazuela y rehoga todo un poco. Pela los tomates, pícalos en dados y agrégalos. Cocina todo junto durante 20-25 minutos.

Pela la patata y el boniato, córtalos finamente como para hacer patatas paja. Mézclalas, cúbrelas con agua y escúrrelas bien. Coge pequeñas porciones de la mezcla y fríelas (por los dos lados) en una sartén con aceite. Sirve los muslos de pollo, salséalos y acompáñalos con las tortitas. Espolvorea todo con un poco de perejil picado.

Análisis nutricional
(ración)

kilocalorías	572
proteínas	50 g
carbohidratos	21 g
total grasas	32 g
monoinsaturadas	15 g
poliinsaturadas	3 g
saturadas	11 g
colesterol	152 mg
fibra	6 g

Extiende los muslos con la parte de la piel hacia abajo y coloca sobre la parte interior una loncha de jamón y otra de queso.

Enróllalos y átalos con una cuerda de cocina. Muele un poco de pimienta por encima y dóralos en una sartén con un poco de aceite.

Pica la cebolleta y los dientes de ajo, incorpóralos a la cazuela y rehoga todo un poco. Pela los tomates, pícalos en dados y agrégalos.

Coge pequeñas porciones de la mezcla y fríelas (por los dos lados) en una sartén con aceite.

El toque de Karlos

Si tienes problemas de colesterol no olvides eliminar la piel, ya que la mayor parte de la grasa del pollo se encuentra en ella.

CODORNICES ASADAS CON PLÁTANO Y PANCETA

Primavera

Ingredientes

4 personas

4 codornices
8 dátiles
2 plátanos
8 lonchas finas de panceta
1 cucharada de romero picado
1 vaso de vino blanco
harina de maíz refinada
agua
aceite de oliva virgen
sal
pimienta
perejil

Elaboración

Salpimienta las codornices por dentro y por fuera e introduce dentro de cada una un par de dátiles. Colócalas en un recipiente apto para el horno, riégalas con un poco de aceite, espolvoréalas con un poco de romero picado y ásalas en el horno a 200 grados durante 12-15 minutos.

Pela los plátanos, corta cada uno en 4 trozos y envuelve cada trozo con una loncha de panceta y sujeta cada uno con un palillo. Fríelos en una sartén con un poco de aceite.

Retira las codornices del horno, pásalas a un plato, vierte el vaso de vino sobre la fuente del horno y ráspala un poco. Pasa la salsa a una sartén, dale un hervor y agrega un poco de harina de maíz diluida en agua, sin dejar de remover hasta que espese.

Sirve una codorniz por ración, salsea y acompáñala con un par de trozos de plátano y panceta. Adorna con una ramita de perejil

Análisis nutricional
(ración)

kilocalorías	759
proteínas	35 g
carbohidratos	29 g
total grasas	53 g
monoinsaturadas	25 g
poliinsaturadas	5 g
saturadas	16 g
colesterol	83 mg
fibra	3 g

Salpimienta las codornices por dentro y por fuera e introduce dentro de cada una un par de dátiles.

Pela y corta los plátanos, envuelve cada trozo con una loncha de panceta y sujetalos con un palillo. Fríelos en una sartén.

Pasa la salsa a una sartén, dale un hervor y agrega un poco de harina de maíz diluida en agua sin dejar de remover hasta que espese.

Sirve una codorniz por ración, salsea y acompáñala con un par de trozos de plátano y panceta.

El toque de Karlos

Si a las codornices les queda algún cañón insertado en la piel puedes retirárselo con una pinza.

ROLLITOS DE POLLO Y QUESO CON ALCAPARRAS

Verano

Ingredientes

4 personas

4 filetes hermosos de pechuga de pollo
100 g de queso
1 cucharada de alcaparras
1 cebolla grande
1 zanahoria
4 dientes de ajo
2 patatas
harina
1 vaso grande de cerveza
aceite de oliva virgen
sal
pimienta
perejil picado

Elaboración

Extiende los filetes dobles de pechuga sobre una superficie lisa. Salpiméntalos y coloca en el centro de cada uno un trozo de queso y unas 8-10 alcaparras. Enróllalos y pínchalos con un palillo.

Pásalos por harina y fríelos en una sartén con aceite al que habrás añadido 2 dientes de ajo enteros y sin pelar. Retira los rollitos. Pica la cebolla, 2 dientes de ajo y la zanahoria finamente y pon a dorar en la misma sartén.

Cuando la verdura esté bien dorada agrega 1 cucharada de harina, rehoga brevemente y vierte la cerveza. Cocina durante 10-15 minutos, pasa la salsa por el pasapurés y ponla en una cazuela amplia y baja.

Pela las patatas, córtalas en dados, fríelas en una sartén con aceite y escúrrelas sobre un plato forrado con papel absorbente de cocina. Introduce los rollitos de pollo dentro de la salsa, espolvorea con perejil picado y agrega las patatas.

Análisis nutricional
(ración)

kilocalorías.................................. 598
proteínas............................... 56 g
carbohidratos........................ 27 g
total grasas........................... 29 g
   monoinsaturadas.............. 12 g
   poliinsaturadas................... 5 g
   saturadas........................... 6 g
colesterol........................ 144 mg
fibra... 3 g

Extiende los filetes dobles de pechuga. Salpiméntalos y coloca en el centro de cada uno un trozo de queso y unas 8-10 alcaparras.

Pásalos por harina y fríelos en una sartén con aceite al que habrás añadido 2 dientes de ajo enteros y sin pelar.

Cuando la verdura esté bien dorada agrega 1 cucharada de harina, rehoga brevemente y vierte la cerveza.

Pela las patatas, córtalas en dados, fríelas en una sartén con aceite y escúrrelas sobre un plato forrado con papel absorbente de cocina.

El toque de Karlos

Cuando te filetean una pechuga en la carnicería siempre quedan algunos trocitos más feos que puedes congelar. Cuando tengas suficientes, descongélalos, envuélvelos con bechamel, rebózalos con una mezcla de pan rallado, ajo y perejil picados y fríelos en una sartén con aceite.

ALITAS DE POLLO AGRIDULCES CON ARROZ TOSTADO

Verano

Ingredientes

4 personas

12 alas de pollo
200 g de arroz inflado
1 zanahoria
2 naranjas
2 cucharadas de salsa de soja
2 cucharadas de miel
aceite de oliva virgen
sal
pimienta
perejil

Elaboración

Corta las alitas en tres, siguiendo las coyunturas. Desecha la parte más fina y estrecha y con un cuchillo retira un poco de la grasa de las otras 2 partes.

Salpiméntalas, colócalas en una fuente refractaria (apta para el horno) y riégalas con un chorro de aceite. Introdúcelas en el horno (previamente calentado) a 200 grados y cocínalas durante 15-20 minutos.

Pon un poco de aceite en una cazuelita, exprime las naranjas y vierte el zumo a la cazuela. Añade también la salsa de soja y la miel y pon a reducir a fuego suave.

Pela y ralla la zanahoria y agrégala.

Pon el arroz inflado a tostar en una sartén con unas gotas de aceite. Sirve las alitas, riégalas con la salsa agridulce y coloca al lado el arroz inflado tostado. Decora con una rama de perejil.

Análisis nutricional
(ración)

kilocalorías	522
proteínas	16 g
carbohidratos	61 g
total grasas	25 g
monoinsaturadas	9 g
poliinsaturadas	2 g
saturadas	2 g
colesterol	46 mg
fibra	4 g

Corta las alitas en tres. Desecha la parte más fina y estrecha y con un cuchillo retira un poco de la grasa de las otras 2 partes.

Salpiméntalas, colócalas en una fuente refractaria (apta para el horno) y riégalas con un chorro de aceite.

Pon un poco de aceite en una cazuelita, exprime las naranjas y vierte el zumo. Añade la salsa de soja y la miel y pon a reducir a fuego suave.

Pon el arroz inflado a tostar en una sartén con unas gotas de aceite.

El toque de Karlos

Si después de cocinar las alitas en el horno no te quedan doradas, sube la fuente a un nivel superior y gratínalas brevemente.

POLLO ASADO CON CÍTRICOS

Verano

Ingredientes

6 personas

1 pollo hermoso
12 rabanitos
zumo de 4 naranjas
zumo de 2 limones
3 dientes de ajo
agua
hielos
aceite de oliva virgen
sal
unas ramitas de romero
unas ramitas de tomillo
perejil picado

Para la guarnición de frutas
100 g de pasas de corinto
8 ciruelas pasas sin hueso
1 plátano
1 melocotón
1 manzana
4 albaricoques
un poco de mantequilla

Análisis nutricional
(ración)

kilocalorías	425
proteínas	31 g
carbohidratos	36 g
total grasas	18 g
monoinsaturadas	14 g
poliinsaturadas	4 g
saturadas	8 g
colesterol	127 mg
fibra	6 g

Elaboración

Maja en un mortero los dientes de ajo con una pizca de sal, el romero y el tomillo. Agrega el zumo de las naranjas y de los limones y mezcla bien.

Limpia bien en pollo, sazónalo por dentro y por fuera, colócalo en una fuente apta para el horno y riégalo con un poco de aceite y el majado. Introdúcelo en el horno a 180 grados durante 50 minutos. Pasa el líquido que haya soltado a una sartén, espolvoréalo con un poco de perejil picado y dale un hervor para que ligue un poco.

Limpia los rabanitos y córtalos dándoles forma de flor. Colócalos en un bol con agua y unos hielos.

Para la guarnición, pon la mantequilla en una sartén, agrega las pasas y las ciruelas. Pela el plátano, el melocotón y la manzana y pícalos en trocitos. Abre los albaricoques por la mitad, retírales los huesos y trocéalos. Agrega todo a la sartén y rehoga durante 5 minutos. Sirve el pollo, salséalo y acompáñalo con las frutas y los rabanitos.

Maja en un mortero los dientes de ajo con una pizca de sal, el romero y el tomillo. Agrega el zumo de las naranjas y de los limones y mézclalo.

Limpia bien en pollo, sazónalo por dentro y por fuera, colócalo en una fuente apta para el horno y riégalo con un poco de aceite y el majado.

Limpia los rabanitos y córtalos dándoles forma de flor. Colócalos en un bol con agua y unos hielos.

Pon la mantequilla en una sartén, agrega las pasas y las ciruelas. Pela el plátano, el melocotón y la manzana y pícalos en trocitos.

El toque de Karlos

Para ligar la salsa puedes añadirle un poco de harina de maíz refinada diluida en agua o bien agregar un poco de agua fría, y dale un hervor sin dejar de mover la cazuela con movimientos circulares.

MUSLOS DE PAVO CON PURÉ DE MANZANA Y UVAS SALTEADAS

Otoño

Ingredientes

4 personas

4 muslos de pavo
4 manzanas reineta
½ kg de uva blanca
1 vaso de vino blanco
agua
harina de maíz refinada
aceite de oliva virgen
sal
pimienta
1 rama de romero
un poco de cebollino

Elaboración

Salpimienta los muslos de pavo. Colócalos sobre una placa de hornear, riégalos con un poco de aceite e introdúcelos en el horno a 200 grados durante 20-25 minutos. A los 5 minutos de cocción vierte el vino blanco y agrega la rama de romero.

Limpia y trocea las manzanas retirando la parte central. Ponlas a cocer en una cazuela con un chorrito de agua. Cuando estén cocidas, pásalas por el pasapurés.

Retira los muslos de pavo del horno, echa un chorrito de agua sobre la placa y desglasa. Cuela la salsa sobre una cazuela y ponla al fuego. Vierte un poco de harina de maíz refinada diluida en agua y mezcla bien hasta que espese.

Desgrana el racimo de uvas y coloca éstas en un recipiente con agua. Límpialas y escúrrelas. Saltéalas en una sartén con un poco de aceite.

Sirve los muslos de pavo en una fuente amplia, salséalos y acompáñalos con el puré de manzana y las uvas salteadas. Decora con unas ramas de cebollino.

Análisis nutricional
(ración)

kilocalorías	511
proteínas	33 g
carbohidratos	42 g
total grasas	21 g
monoinsaturadas	11 g
poliinsaturadas	3 g
saturadas	4 g
colesterol	112 mg
fibra	3 g

Coloca los muslos en una placa de hornear, riégalos con un poco de aceite e introdúcelos en el horno a 200 grados durante 20-25 minutos.

Limpia y trocea las manzanas retirando la parte central. Ponlas a cocer en una cazuela con un chorrito de agua.

Retira los muslos de pavo del horno, echa un chorrito de agua sobre la placa y desglasa. Cuela la salsa sobre una cazuela y ponla al fuego.

Desgrana el racimo de uvas y coloca éstas en un recipiente con agua. Límpialas y escúrrelas. Saltéalas en una sartén con un poco de aceite.

El toque de Karlos

El pavo se puede comprar fresco, congelado, entero o por piezas. Además, existe una amplia gama de productos elaborados (charcutería) y son muy variadas las recetas que lo utilizan como ingrediente principal, algunas de las más conocidas son el pavo relleno, los muslos de pavo braseados, el pavo asado a la inglesa y el pavo trufado.

PECHUGAS DE PALOMA ASADAS

Otoño

Ingredientes
4 personas

4 palomas
3 manzanas
½ kg de castañas
6 chalotas
2 dientes de ajo
1 vaso de vino tinto
½ copa de brandy
8 hojas de endibia
agua
harina de maíz refinada
aceite de oliva virgen
sal
pimienta
perejil picado

Elaboración

Pela las manzanas, retírales el corazón, trocéalas y ponlas a cocer en una cazuela con un poco de agua. Cuando estén cocidas (a los 10 minutos) remuévelas con una varilla de mano hasta que quede un puré homogéneo.

Haz un corte a las castañas y ponlas a cocer en una cazuela con un poco de agua. Cuando estén cocidas (30 minutos), pélalas y pásalas por el pasapurés.

Limpia las palomas y con una puntilla separa los muslos.

Pica las chalotas y los dientes de ajo y ponlos a dorar en una cazuela con aceite. Sazona y añade los muslos. Remueve, vierte el brandy y flambea. Vierte el vino tinto, un poco de agua y perejil picado. Deja reducir durante 25-30 minutos. Cuela la salsa, añade una cucharada de harina de maíz refinada diluida en agua, mezcla bien y mantén al fuego hasta que espese.

Salpimienta las pechugas y ásalas en el horno a 240 grados durante 10 minutos. Con una puntilla separa las pechugas del hueso. Sirve 2 pechugas por ración y salséalas. Acompaña cada ración con 2 hojas de endibia: una rellena de puré de castañas y la otra de puré de manzana.

Análisis nutricional
(ración)

kilocalorías	642
proteínas	25 g
carbohidratos	61 g
total grasas	27 g
monoinsaturadas	10 g
poliinsaturadas	2 g
saturadas	3 g
colesterol	113 mg
fibra	8 g

Pela las manzanas, retírales el corazón, trocéalas y ponlas a cocer en una cazuela con un poco de agua.

Haz un corte a las castañas y ponlas a cocer en una cazuela con un poco de agua.

Pica las chalotas y los dientes de ajo y ponlos a dorar en una cazuela con aceite. Añade los muslos.

Salpimienta las pechugas y ásalas en el horno a 240 grados durante 10 minutos. Con una puntilla separa las pechugas del hueso.

El toque de Karlos

La aparición de las primeras castañas en los mercados marca el inicio del otoño. En el momento de adquirirlas hay que comprobar que su piel esté brillante, entera, sana y limpia.

PAVO ESCABECHADO CON UVAS

Invierno

Ingredientes

4 personas

½ kg de pechuga de pavo
3 berenjenas
400 g de uvas
300 g de judías verdes
2 cebolletas
1 puerro
1 zanahoria
6 dientes de ajo
aceite de oliva virgen
vinagre
sal
1 hoja de laurel
25 g de pimienta negra
un poco de tomillo

Elaboración

Limpia las berenjenas, colócalas sobre una placa de horno, riégalas con aceite y sazónalas. Introdúcelas en el horno a 200 grados durante 20-30 minutos. Sácalas, deja que se templen. Córtalas en láminas a lo largo y extiéndelas sobre una fuente amplia.

Pon en la olla rápida las cebolletas enteras, la zanahoria y el puerro (pelados y troceados), los ajos pelados, la hoja de laurel, los granos de pimienta, un poco de tomillo picado y la pechuga sazonada. Vierte 1 parte de vinagre y 3 de aceite. Tapa la olla y deja cocer durante 7 minutos desde el momento en que empiece a salir el vapor.

Retira la pechuga y las verduras. Limpia las judías verdes, pícalas en bastones finos y agrégalas a la cazuela del escabeche. Desgrana las uvas, lávalas en un recipiente con agua, escúrrelas y añádelas también a la cazuela. Hierve todo durante 5 minutos y apaga el fuego.

Corta la pechuga en filetes y colócalos en la parte central de la fuente sobre las berenjenas. Espolvorea la superficie con las verduras y las uvas. Sazona y riega con el escabeche.

Análisis nutricional
(ración)

kilocalorías	390
proteínas	32 g
carbohidratos	29 g
total grasas	17 g
monoinsaturadas	10 g
poliinsaturadas	2 g
saturadas	2 g
colesterol	75 mg
fibra	6 g

Una vez horneadas, corta las berenjenas en láminas a lo largo y extiéndelas sobre una fuente amplia.

Pon en la olla rápida las cebolletas, la zanahoria, el puerro, los ajos, la hoja de laurel, los granos de pimienta, un poco de tomillo y la pechuga.

Limpia las judías verdes, pícalas en bastones finos y agrégalas a la cazuela del escabeche.

Corta la pechuga en filetes y colócalos en la parte central de la fuente sobre las berenjenas.

El toque de Karlos

Si quieres que las uvas no tengan piel puedes escaldarlas durante un minuto en una cazuela de agua hirviendo. ¡Verás qué fácil te resulta pelarlas!

PICANTONES CON PASAS

Invierno

Ingredientes

4 personas

2 picantones
200 g de arroz basmati
100 g de pasas
2 zanahorias
1 cebolla
1 diente de ajo
1 vaso de vino tinto
1 vaso de agua
aceite de oliva virgen
sal
pimienta
perejil picado

Elaboración

Limpia los picantones, salpimiéntalos y ponlos a dorar en una cazuela con un poco de aceite.

Pica la cebolla en cuadrados y la zanahoria en medias lunas. Cuando se doren los picantones agrega la verdura y rehoga bien. Vierte el vino y el agua, mezcla bien e incorpora las pasas. Guisa a fuego medio durante 20 minutos. Si la salsa queda muy ligera puedes espesarla con un poco de pan rallado.

Pela el diente de ajo, córtalo en láminas y dóralo en una cazuela con un poco de aceite. Incorpora el arroz, una pizca de sal y el agua caliente (un poco menos del doble que de arroz). Cuécelo durante 20 minutos y déjalo reposar.

Corta los picantones por la mitad. Sirve medio picantón por ración, salséalo y acompáñalo con un poco de arroz. Espolvorea perejil picado sobre el arroz.

Análisis nutricional
(ración)

kilocalorías	564
proteínas	27 g
carbohidratos	61 g
total grasas	20 g
monoinsaturadas	11 g
poliinsaturadas	2 g
saturadas	4 g
colesterol	70 mg
fibra	4 g

Limpia los picantones, salpimiéntalos y ponlos a dorar en una cazuela con un poco de aceite.

Cuando se doren los picantones agrega la verdura y rehoga bien. Vierte el vino y el agua, mezcla bien e incorpora las pasas.

Pela el diente de ajo, córtalo en láminas y dóralo en una cazuela con un poco de aceite. Incorpora el arroz, una pizca de sal y el agua caliente.

Corta los picantones por la mitad. Sirve medio picantón por ración, salséalo y acompáñalo con un poco de arroz.

El toque de Karlos

Los picantones generalmente se compran enteros y sin plumas y vienen perfectamente limpios, sin intestinos, hígado ni molleja, pero nunca está de más darles un repaso.

pescados

CONGRIO EN CAZUELA CON FIDEOS

Primavera

Ingredientes

4 personas

700 g de congrio limpio
150 g de fideos
1 cebolla
1 pimiento verde
2 dientes de ajo
2 tomates
aceite de oliva virgen
sal
perejil
pimienta negra

Para el caldo
1 cola de congrio
2 zanahorias
1 puerro
unas ramas de perejil
agua
sal

Elaboración

Pon en una cazuela grande abundante agua, la cola del congrio, un puerro, 2 zanahorias, unas ramas de perejil y una pizca de sal. Deja cocer 20 minutos. Retira el pescado y las verduras y cuece los fideos en el caldo.

Pica la cebolla, el pimiento verde y los dientes de ajo finamente y ponlos a pochar en una cazuela con aceite. Sazona y cocina hasta que se haga todo bien.

Pela los tomates, pícalos en dados y agrégalos. Cocina hasta que se pochen bien, vierte un poco de caldo de pescado y cocina un poco más.

Corta los lomos de congrio en rodajas de 3 centímetros, salpimiéntalas e incorpóralas. Cocínalas brevemente e incorpora los fideos cocidos. Mezcla un poco, decora con una rama de perejil y sirve en la misma cazuela.

Análisis nutricional
(ración)

kilocalorías	472
proteínas	35 g
carbohidratos	34 g
total grasas	22 g
monoinsaturadas	11 g
poliinsaturadas	3 g
saturadas	3 g
colesterol	105 mg
fibra	2 g

Pon en una cazuela grande abundante agua, la cola del congrio, un puerro, 2 zanahorias, unas ramas de perejil y una pizca de sal.

Pica la cebolla, el pimiento verde y los dientes de ajo y ponlos a pochar en una cazuela con aceite.

Cocina hasta que se pochen bien, vierte un poco de caldo de pescado y cocina un poco más.

Corta los lomos de congrio en rodajas de 3 centímetros, salpimiéntalas e incorpóralas. Cocínalas brevemente e incorpora los fideos cocidos.

El toque de Karlos

La carne del congrio es firme y sabrosa pero tiene el inconveniente de las espinas. Tened en cuenta que en la parte abierta hay muchas menos que en la cola.

BOCADOS DE VERDEL CON ACEITUNA Y PANCETA

Primavera

Ingredientes

4 personas

2 verdeles grandes
12 lonchas de panceta ibérica
1 pimiento verde
1 puerro
½ calabacín
200 g de calabaza
1 tomate pelado
3 dientes de ajo
50 g de aceitunas negras
50 g de aceitunas verdes
harina
aceite de oliva virgen
sal
pimienta
unas hojas de albahaca
perejil

Elaboración

Pica el pimiento y el puerro finamente y pon a pochar en una sartén con un poco de aceite. Cuando se doren un poco añade el calabacín y la calabaza cortados en daditos.

Pica los dientes de ajo finamente y el tomate (pelado) en daditos. Agrega todo a la sartén, sazona y rehoga bien durante unos 15 minutos. Pica las hojas de albahaca, espolvorea las verduras y mezcla bien.

Limpia los verdeles, retirándoles las cabezas y las tripas. Con un buen cuchillo separa los lomos de la espina central. Corta cada lomo en tres, de forma que te queden 12 trozos. Salpiméntalos.

Pica las aceitunas verdes y las aceitunas negras, mézclalas en un bol y pon sobre cada trozo de verdel una pequeña porción. Envuelve cada uno con una loncha de panceta. Pásalos por harina y fríelos en una sartén con aceite.

Sirve los bocados de verdel y acompáñalas con la verdura. Decora con unas ramas de perejil.

Análisis nutricional
(ración)

kilocalorías.................................. 969
proteínas.................................. 43 g
carbohidratos........................ 17 g
total grasas............................ 82 g
   monoinsaturadas.............. 38 g
   poliinsaturadas................ 19 g
   saturadas.......................... 22 g
colesterol........................ 194 mg
fibra... 4 g

Pica el pimiento y el puerro finamente y pon a pochar en una sartén con un poco de aceite.

Pica los dientes de ajo finamente y el tomate (pelado) en daditos. Agrega todo a la sartén, sazona y rehoga bien.

Corta cada lomo en tres, de forma que te queden 12 trozos. Salpiméntalos.

Envuelve cada uno con una loncha de panceta. Pásalos por harina y fríelos en una sartén con aceite.

El toque de Karlos

Es importante consumir el verdel siempre muy fresco, pues a las pocas horas de la captura va perdiendo tersura y se altera. Es importante saber que su carne tiene que estar brillante y rígida y no blanda o poco lustrosa.

MARMITAKO DE TXITXARRO

Primavera

Ingredientes

4 personas

1 txitxarro de 800 g
500 g de patata
1 cebolla
3 pimientos verdes
2 dientes de ajo
2 pimientos choriceros
½ vaso de salsa de tomate
agua
aceite de oliva virgen
sal
2 hojas de laurel
perejil picado

Para el caldo de pescado
cabeza y espinas del txitxarro
1 zanahoria
1 cebolla
unas ramas de perejil
agua
sal

Elaboración

Limpia el pescado. Pon la cabeza y las espinas a cocer en una cazuela con agua. Pela y trocea la cebolla y la zanahoria e incorpóralas. Añade unas hojas de perejil y una pizca de sal y cuece todo durante 10 minutos.

Limpia los pimientos choriceros, retírales el rabito y las pepitas y ponlos a remojo en agua caliente durante 10 minutos. Cuando se ablanden, con un cuchillito separa la piel de la carne y resérvala.

Pica la cebolleta, los dientes de ajo y los pimientos y ponlos a pochar en una cazuela con aceite. Agrega las hojas de laurel y cocina hasta que la verdura se dore un poco.

Pela las patatas, trocéalas (cascándolas) y agrégalas a la cazuela. Añade la salsa de tomate, el caldo, la carne de los pimientos choriceros y una pizca de sal. Deja cocer durante 18 minutos.

Corta el pescado en dados, sazónalo, añádelo a la cazuela, pon la tapa, apaga el fuego, deja reposar durante 3-4 minutos y listo para servir. Espolvorea perejil picado por encima.

Limpia el pescado. Pon la cabeza y las espinas a cocer en una cazuela con agua. Pela y trocea la cebolla y la zanahoria e incorpóralas.

Cuando se ablanden los pimientos choriceros, con un cuchillito separa la piel de la carne y resérvala.

Pela las patatas, trocéalas y agrégalas a la cazuela. Añade la salsa de tomate, el caldo, la carne de los pimientos choriceros y sazona.

Corta el pescado en dados, sazónalo, añádelo a la cazuela, pon la tapa, apaga el fuego y deja reposar durante 3-4 minutos.

Análisis nutricional
(ración)

kilocalorías	580
proteínas	35 g
carbohidratos	28 g
total grasas	37 g
monoinsaturadas	17 g
poliinsaturadas	6 g
saturadas	7 g
colesterol	160 mg
fibra	4 g

El toque de Karlos

Para hacer guisos con patata los trozos se deben cortar haciendo una pequeña incisión y luego cascándolos. De esta forma quedan tiernas y sin deshacerse.

COLAS DE RAPE CON PATATAS Y GUISANTES

Primavera

Ingredientes

6 personas

3 rapes de ración
250 g de almejas
250 g de guisantes frescos
2 patatas
2 cebolletas
4 dientes de ajo
1 vasito de vino blanco
½ l de caldo de pescado
aceite de oliva virgen
sal
pimienta
perejil

Elaboración

Pica las cebolletas finamente y ponlas a pochar en una tartera (cazuela amplia y baja). Pica 3 dientes de ajo finamente y añádelos. Sazona y deja pochar.

Pela y corta las patatas en medias lunas e incorpóralas a la cazuela. Vierte el vino y casi todo el caldo y cocínalas durante 10-12 minutos. Agrega los guisantes y cocina durante unos 8 minutos más.

Corta las colas por la mitad. Salpiméntalas y dóralas un poco en una sartén con un diente de ajo (con piel).

Incorpora las almejas y el pescado a la cazuela, vierte un poco más del caldo de pescado, tapa la cazuela y cocina durante 5 minutos más.

Sirve en una fuente y espolvorea perejil picado por encima.

Análisis nutricional
(ración)

kilocalorías................................. 409
proteínas.................................... 35 g
carbohidratos........................ 21 g
total grasas............................. 19 g
   monoinsaturadas.............. 10 g
   poliinsaturadas.................... 3 g
   saturadas............................ 3 g
colesterol............................ 90 mg
fibra.. 5 g

Pica las cebolletas finamente y ponlas a pochar en una tartera. Pica 3 dientes de ajo y añádelos. Sazona y deja pochar.

Pela y corta las patatas en medias lunas e incorpóralas a la cazuela.

Corta las colas por la mitad. Salpiméntalas y dóralas un poco en una sartén con un diente de ajo.

Incorpora las almejas y el pescado a la cazuela, vierte un poco más del caldo de pescado, tapa la cazuela y cocina durante 5 minutos más.

El toque de Karlos

Para limpiar las almejas, ponlas a remojo en un recipiente con agua y sal durante 30 minutos. Después enjuágalas bajo el agua del grifo.

PERLÓN COCIDO CON PATATAS Y MOJO

Primavera

Ingredientes

4 personas

2 perlones
16 patatas pequeñas
1 cebolla
2 zanahorias
5 dientes de ajo
agua
aceite de oliva virgen
vinagre
sal fina y gruesa
un trozo de guindilla picante
una pizca de comino
10-20 granos de pimienta negra
perejil

Elaboración

Pon las patatas a cocer en una cazuela con agua y sal. Pon la tapa y deja cocer durante 15-20 minutos. Deja que se templen y pélalas.

Para el mojo, pela y pica un poco los ajos. Colócalos en el mortero, agrega un trozo de guindilla picante y un poco de sal gruesa y maja bien. Añade aceite, vinagre, unos granos de comino y perejil picado. Mezcla bien.

Pon agua en una cazuela y sazónala. Pica la cebolla en trozos y las zanahorias en bastones, agrégalas a la cazuela junto con los granos de pimienta y un manojo de perejil. Pon a calentar y mantenla hirviendo durante 5 minutos.

Limpia los perlones, corta cada uno en tres rodajas gruesas y añádelas a la cazuela. Pon la tapa y deja cocer durante 3 minutos. Retira el pescado y los bastones de zanahorias. Para servir, distribuye el pescado, las zanahorias, las patatas en una fuente amplia y aliña con el mojo.

Análisis nutricional
(ración)

kilocalorías	513
proteínas	38 g
carbohidratos	41 g
total grasas	23 g
monoinsaturadas	11 g
poliinsaturadas	3 g
saturadas	3 g
colesterol	120 mg
fibra	6 g

Pon las patatas a cocer en una cazuela con agua y sal. Pon la tapa y deja cocer durante 15-20 minutos.

Para el mojo, pela y pica un poco los ajos. Colócalos en el mortero, agrega un trozo de guindilla picante y un poco de sal gruesa y maja bien.

Pica la cebolla en trozos y las zanahorias en bastones, agrégalas a la cazuela junto con los granos de pimienta y un manojo de perejil.

Limpia los perlones, corta cada uno en tres rodajas gruesas y añádelas a la cazuela. Pon la tapa y deja cocer durante 3 minutos.

El toque de Karlos

La carne de perlón cocido resulta muy adecuada para preparar pasteles o pudines de pescado. En cualquier caso, es recomendable no emplear demasiada cantidad de pescado, ya que daría lugar a un plato apelmazado y con excesivo sabor.

BOQUERONES A LA SIDRA CON ENSALADA DE PATATA

Primavera

Ingredientes

4 personas

½ kg de boquerones
300 ml de sidra
2 patatas
2 huevos
4-5 cebolletas
2 dientes de ajo
agua
aceite de oliva virgen
vinagre
sal
1 trozo de guindilla
perejil

Elaboración

Pon las patatas a cocer en una cazuela con abundante agua y una pizca de sal. A los 15 minutos, añade los huevos y deja cocer durante 12 minutos más. Enfríalos, pélalos, corta las patatas en rodajas y los huevos en cuartos. Coloca en una fuente amplia. Mezcla en un bol, aceite, vinagre, sal y perejil picado. Bate bien y aliña la ensalada.

Limpia los boquerones quitándoles la cabeza, la tripa y la espina central, y separa cada uno en 2 lomos o filetes.

Pela y pica los dientes de ajo en láminas, ponlos a dorar en una tartera (cazuela amplia y baja) con un poco de aceite. Pica las cebolletas en juliana y añádelas. Agrega también la guindilla cortada en 2 trozos y deja pochar a fuego suave durante 10-15 minutos. Vierte la sidra y deja reducir durante 10 minutos más.

Sazona los boquerones y ponlos en la cazuela con la piel hacia arriba. Dale un hervor, tapa, cuenta hasta 10 despacio y retira del fuego. Decora con una rama de perejil. Acompáñalos con la ensalada.

Análisis nutricional
(ración)

kilocalorías................................. 417
proteínas............................... 26 g
carbohidratos....................... 21 g
total grasas.......................... 24 g
   monoinsaturadas.............. 11 g
   poliinsaturadas.................... 4 g
   saturadas........................... 5 g
colesterol........................ 167 mg
fibra.. 3 g

Coloca en una fuente amplia las patatas y los huevos. Mezcla en un bol, aceite, vinagre, sal y perejil picado. Bate bien y aliña la ensalada.

Limpia los boquerones quitándoles la cabeza, la tripa y la espina central, y separa cada uno en 2 lomos o filetes.

Vierte la sidra y deja reducir durante 10 minutos más.

Sazona los boquerones y colócalos en la cazuela con la piel hacia arriba. Dale un hervor, tapa, cuenta hasta 10 despacio y retira del fuego.

El toque de Karlos

Después de manipular pescado con las manos es muy probable que el olor se te quede pegado. Para solucionar este problema frótatelas con zumo de limón.

RODABALLO CON XIXAS

Primavera

Ingredientes

4 personas

1 rodaballo de 1,5 kg
300 g de xixas
3 cebolletas
2 dientes de ajo
aceite de oliva virgen
sal
perejil

Para la provenzal
2 dientes de ajo
1 cucharada de perejil picado
2 cucharadas de pan rallado

Elaboración

Pica las cebolletas en juliana fina y ponlas a pochar en una sartén con aceite. Pela y pica los dientes de ajo en láminas e incorpóralos a la sartén. Cocina hasta que quede bien pochado.

Limpia las xixas y trocéalas a mano, sazónalas y saltéalas brevemente para que suelten el agua y retira.

Limpia el pescado, retírale la cabeza y la tripa. Saca los filetes, rocía una placa de horno con un poco de aceite, coloca encima el pescado y sálalo. Distribuye encima el salteado de xixas.

Para la provenzal, pica los dientes de ajo y el perejil. Mézclalos con el pan rallado y espolvorea el pescado y las xixas. Introduce en el horno a 220 grados durante 10 minutos.

Sirve y decora con una rama de perejil.

Análisis nutricional
(ración)

kilocalorías.................................... 454
proteínas................................. 46 g
carbohidratos........................ 13 g
total grasas........................... 24 g
    monoinsaturadas.............. 10 g
    poliinsaturadas.................... 4 g
    saturadas........................... 4 g
colesterol........................ 156 mg
fibra... 3 g

Pica las cebolletas en juliana fina y ponlas a pochar en una sartén con aceite

Limpia las xixas y trocéalas a mano, sazónalas y saltéalas brevemente para que suelten el agua y retira.

Limpia el pescado, retírale la cabeza y la tripa. Saca los filetes.

Espolvorea el pescado y las xixas con la provenzal e introduce en el horno a 220 grados durante 10 minutos.

El toque de Karlos

El rodaballo es un pescado de lujo y antes sólo se llevaba a casa en contadas ocasiones; hoy en día, gracias a la crianza, se puede comer rodaballo todo el año sin estar pendientes de las capturas.

Primavera

Ingredientes

6 personas

1 kg de anchoas
4 patatas
½ cebolla
6 ajos frescos
1 pimiento verde
2 tomates secos
½ guindilla
agua
aceite de oliva virgen
sal

Elaboración

Pon las patatas a cocer en una cazuela con abundante agua. Deja cocer durante 25-30 minutos. Deja que se templen, pélalas y córtalas en rodajas gruesas. Colócalas sobre una fuente amplia.

Limpia las anchoas, quitándoles la cabeza, la tripa y la espina central. Sepáralas en filetes.

Unta un molde con un poco de aceite, coloca una capa de filetes de anchoa (con la piel hacia arriba), sazónalos y coloca encima otra capa de anchoas. Sazona de nuevo.

Pica finamente la cebolla y ponla a pochar en una sartén con bastante aceite. Pica también los tomates secos, el pimiento verde y los ajos frescos y añádelos. Rehoga un poco y agrega la guindilla picante troceada. Cocina durante 5 minutos aproximadamente y vierte todo sobre las anchoas. Deja reposar durante 2-3 minutos. Colócalas sobre las patatas y riégalas con el aceite.

Deja que se templen las patatas, pélalas y córtalas en rodajas gruesas. Colócalas sobre una fuente amplia.

Limpia las anchoas, quitándoles la cabeza, la tripa y la espina central. Sepáralas en filetes.

Análisis nutricional
(ración)

kilocalorías.................................... 347
proteínas................................. 29 g
carbohidratos........................ 19 g
total grasas............................ 18 g
    monoinsaturadas............... 7 g
    poliinsaturadas.................... 4 g
    saturadas.......................... 4 g
colesterol.......................... 86 mg
fibra... 2 g

Unta un molde con un poco de aceite, coloca una capa de filetes de anchoa , sazónalos y coloca encima otra capa de anchoas.

Pica la cebolla y ponla a pochar con bastante aceite. Pica también los tomates secos, el pimiento verde y los ajos frescos y añádelos.

El toque de Karlos

Anchoa, boquerón, bocarte o seitó. Distintos nombres para designar la misma especie marina, bautizada de estas cuatro formas según la zona del litoral peninsular en la que nos encontremos.

SARDINAS A LA PLANCHA

Verano

Ingredientes

4 personas

16 sardinas
200 g de guindillas
100 gramos de canónigos
4 dientes de ajo
1 barra de pan chapata
aceite de oliva virgen
vinagre
sal fina y gruesa
perejil

Elaboración

Pela los dientes de ajo, córtalos, colócalos en el mortero y májalos. Vierte un buen chorro de aceite en el mortero, mezcla bien y pasa a una fuente.

Sazona las sardinas (sin retirar las cabezas ni las tripas) con sal gruesa, pásalas por el recipiente de aceite y ajo y colócalas sobre una plancha bien caliente. Cocínalas 3 minutos por cada lado. Sírvelas en una fuente y decora con una rama de perejil.

Corta el pan en rebanadas, ponlas sobre una placa y tuéstalas en el horno.

Fríe las guindillas en una sartén con aceite. Sácalas a una fuente y sazónalas. Limpia las hojas de canónigo, escúrrelas y colócalas sobre las guindillas. Aliña con aceite y vinagre y mezcla bien. Sirve las sardinas, el pan y la ensalada por separado.

Pela los dientes de ajo, córtalos, colócalos en el mortero y májalos.

Sazona las sardinas con sal gruesa, pásalas por el recipiente de aceite y ajo y colócalas sobre una plancha bien caliente.

Análisis nutricional
(ración)

kilocalorías.................................. 650
proteínas.................................... 35 g
carbohidratos........................ 59 g
total grasas.............................. 32 g
   monoinsaturadas............. 15 g
   poliinsaturadas.................... 6 g
   saturadas............................ 6 g
colesterol........................ 113 mg
fibra... 5 g

Corta el pan en rebanadas, ponlas sobre una placa y tuéstalas en el horno.

Fríe las guindillas en una sartén con aceite. Sácalas a una fuente y sazónalas.

El toque de Karlos

No congeles las sardinas. El elevado contenido en grasa de los pescados azules impide una adecuada congelación que modifica su sabor y textura al ser descongelados.

BACALAO FRESCO FRITO CON PISTO

Verano

Ingredientes

4 personas

4 filetes de bacalao fresco
2 cebolletas
2 pimientos verdes
2 dientes de ajo
1 calabacín
2 tomates
1-2 huevos
harina
aceite de oliva virgen
sal
perejil

Elaboración

Pica las cebolletas en dados y ponlas a pochar en una cazuela con aceite. Corta los pimientos y los calabacines (sin pelar) en dados y los dientes de ajo en láminas e incorpóralos a la cazuela. Sazona y cocina durante 5 minutos.

Pela los tomates, córtalos también en dados e incorpóralos. Cocina todo junto durante 15-20 minutos, hasta que quede bien hecho.

Corta cada filete en 2, sazónalos, pásalos por harina y huevo batido y fríelos brevemente por los 2 lados en una sartén con aceite.

Sirve el pisto en el centro de una fuente amplia y coloca el pescado alrededor. Decora con una rama de perejil.

Análisis nutricional
(ración)

kilocalorías	449
proteínas	42 g
carbohidratos	17 g
total grasas	24 g
monoinsaturadas	14 g
poliinsaturadas	3 g
saturadas	4 g
colesterol	203 mg
fibra	4 g

Pica los pimientos y los calabacines y agrégalos a la cazuela.

Cocina todo junto durante 15-20 minutos, hasta que quede bien hecho.

Corta cada filete en 2, sazónalos, pásalos por harina y huevo batido y fríelos brevemente por los 2 lados en una sartén con aceite.

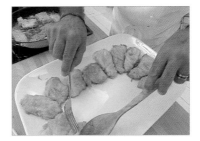

Sirve el pisto en el centro de una fuente amplia y coloca el pescado alrededor.

El toque de Karlos

Cuando vayas a hacer un pisto no tienes que echar demasiado aceite a la sartén. Ten en cuenta que el aceite de oliva crece bastante al freírse. Si el pisto queda muy aceitoso, retira un poco con una cuchara.

BROCHETAS DE LUBINA Y CALABACÍN CON SALSA DE MELOCOTÓN

Verano

Ingredientes

4 personas

600 g de lubina limpia
1 calabacín
4 melocotones
50 g de panceta
½ l de caldo
aceite de oliva virgen
vinagre de módena
sal
pimienta

Análisis nutricional
(ración)

kilocalorías	400
proteínas	31 g
carbohidratos	18 g
total grasas	23 g
monoinsaturadas	13 g
poliinsaturadas	4 g
saturadas	5 g
colesterol	108 mg
fibra	3 g

Elaboración

Pica la panceta en dados y ponlos a rehogar en una cazuela con un poco de aceite hasta que se doren.

Pela los melocotones (reserva 1), hazles un corte por la mitad, retírales el hueso y trocéalos. Añádelos a la cazuela, vierte un chorro de vinagre de módena. Mezcla bien, sazona y vierte el caldo. Deja cocer durante 15 minutos. Tritura con una batidora eléctrica y pasa la salsa por un colador.

Corta la lubina en trozos de unos 5 centímetros. Lava el calabacín y córtalo en rodajas de 2 centímetros. Ensarta en cada palo de brocheta 3 trozos de lubina y 2 rodajas de calabacín. Salpimiéntalas, riégalas con un poco de aceite y cocínalas a la plancha 2-3 minutos por cada lado.

Coloca las brochetas en una fuente amplia. Sirve un poco de salsa en la fuente y pon el resto en una salsera.

Pela el melocotón reservado anteriormente y corta unos dados para espolvorear la fuente de las brochetas.

Pica la panceta en dados y ponlos a rehogar en una cazuela con un poco de aceite hasta que se doren.

Pela los melocotones, hazles un corte por la mitad, retírales el hueso y trocéalos. Añádelos a la cazuela.

Ensarta en cada palo de brocheta 3 trozos de lubina y 2 rodajas de calabacín.

Sirve las brochetas en una fuente amplia. Sirve un poco de salsa en la fuente y pon el resto en una salsera.

El toque de Karlos

La lubina es un pescado muy apreciado en la cocina. Su precio suele ser bastante elevado, sin embargo, también puede proceder de cultivo, y aunque no tiene el mismo sabor, sí que reduce bastante su coste.

PASTEL DE SALMÓN Y BACALAO FRESCO

Verano

Ingredientes

4 personas

300 g de salmón fresco
300 g de bacalao fresco
3 huevos
1 cebolla
200 g de queso de untar
una cucharada de mostaza
aceite de oliva virgen
sal
mantequilla
harina

Para la salsa
2 cucharadas de leche
aceite de oliva virgen
ralladura de ½ naranja
unas gotas de limón
sal

Elaboración

Pica la cebolla y sofríela en una sartén con aceite a fuego lento. Cuando esté hecha, pon la cebolla en un bol y añádele el queso de untar.

Limpia los pescados de espinas y piel. Ponlos en una fuente, riégalos con un poco de aceite y cocínalos en el horno a 250 grados durante 4 minutos.

En un recipiente de cristal pon 2 huevos, 1 yema, la mostaza, una pizca de sal y bate bien con un tenedor. Monta la clara y añádela suavemente a la mezcla anterior. Agrega la cebolla con el queso, los pescados desmenuzados y mezcla todo con suavidad.

Unta un molde con mantequilla y harina. Vierte la mezcla y cuece al baño maría en el horno a 180 grados durante 30 minutos. Deja enfriar y desmolda.

Pon en un vaso alto la leche y sazona. Bate con la batidora y añade el aceite poco a poco sin mover la batidora del fondo. Cuando empiece a espesar, ponlo a punto con la ralladura de naranja y unas gotitas zumo de limón. Ponlo en una salsera y sirve con el pastel de pescado.

Análisis nutricional
(ración)

kilocalorías	561
proteínas	38 g
carbohidratos	6 g
total grasas	43 g
monoinsaturadas	15 g
poliinsaturadas	5 g
saturadas	6 g
colesterol	234 mg
fibra	1 g

Limpia los pescados de espinas y piel. Ponlos en una fuente, riégalos con un poco de aceite y cocínalos en el horno a 250 grados durante 4 minutos.

En un recipiente de cristal pon 2 huevos, 1 yema, la mostaza, una pizca de sal y bate bien con un tenedor.

Unta un molde con mantequilla y harina. Vierte la mezcla y cuece al baño maría en el horno a 180 grados durante 30 minutos.

Pon en un vaso alto la leche y sazona. Bate con la batidora y añade el aceite poco a poco sin mover la batidora del fondo.

El toque de Karlos

La lactonesa es una variedad de mahonesa que no lleva huevo. Se puede conservar en el frigorífico durante tres días, es más fácil de digerir y es imposible que se contamine con salmonela.

MINIBROCHETAS DE VERDURA Y PESCADO

Verano

Ingredientes

4 personas

300 g de rape limpio
4 langostinos
12 champiñones
4 dados grandes de calabaza
4 dados grandes de berenjena
4 ramilletes de brócoli
2 cucharadas de perejil picado
aceite de oliva virgen
sal
pimienta

Para el rebozado
200 g de harina integral o blanca
1 vaso de agua fría
1 clara de huevo
2 cucharadas de salsa de soja

Elaboración

Para el rebozado, pon la harina en un recipiente amplio. Añade la salsa de soja, la clara de huevo y mezcla. Vierte el agua poco a poco y sigue mezclando hasta conseguir una pasta homogénea.

Pela los langostinos y corta el rape en 8 dados grandes. Limpia los champiñones y los ramilletes de brócoli.

Ensarta en 4 palillos de brocheta un champiñón, un langostino y un ramillete de brócoli. En otros 4 palillos, ensarta un champiñón, un dado de rape y otro de calabaza. En los últimos, ensarta un champiñón, un dado de rape y uno de berenjena. Salpimiéntalas, pásalas por la masa de rebozar y fríelas en una sartén con abundante aceite. Escúrrelas sobre papel absorbente de cocina.

Pon las 2 cucharadas de perejil en un vaso batidor, añade aceite y tritura. Pasa la salsa por el colador y resérvala.

Sirve tres brochetas por ración y acompáñalas con un poco de salsa.

Análisis nutricional
(ración)

kilocalorías	537
proteínas	24 g
carbohidratos	37 g
total grasas	33 g
monoinsaturadas	19 g
poliinsaturadas	5 g
saturadas	4 g
colesterol	52 mg
fibra	6 g

Para el rebozado, pon la harina en un recipiente amplio. Añade la salsa de soja, la clara de huevo y mezcla.

Ensarta en 4 palillos de brocheta un champiñón, un langostino y un ramillete de brócoli.

Salpimienta las brochetas, pásalas por la masa de rebozar y fríelas en una sartén con abundante aceite.

Pon las 2 cucharadas de perejil en un vaso batidor, añade aceite y tritura. Pasa la salsa por el colador y resérvala.

El toque de Karlos

Para que no se rompan los champiñones en el momento de ensartarlos en el palillo de brocheta lo mejor es introducirlos con un ligero movimiento circular.

CARACOLAS DE SALMÓN CON SALSA DE MENTA

Verano

Ingredientes

4 personas

800 g de salmón
1 calabacín
50 ml de vinagre de vino
50 ml de vinagre de módena
100 g de azúcar
aceite de oliva virgen
sal
pimienta
hojas de menta

Elaboración

Pon a reducir, a fuego lento, los vinagres y el azúcar en una cazuela. A los 10 minutos pica unas 6 hojas de menta y añádelas.

Limpia el salmón de piel y espinas y córtalo en tiras finas. Enróscalas sobre sí mismas de forma que quede como un caracol y pínchalas con un palito de brocheta. Salpimiéntalas y cocínalas sobre la plancha bien caliente durante un par de minutos por cada lado.

Limpia el calabacín, córtalo en bastones gruesos, sazónalos y saltéalos en una sartén con aceite.

Análisis nutricional
(ración)

kilocalorías................................... 606
proteínas..................................... 41 g
carbohidratos........................ 29 g
total grasas............................ 37 g
    monoinsaturadas.............. 18 g
    poliinsaturadas.................... 8 g
    saturadas............................ 6 g
colesterol........................ 100 mg
fibra... 1 g

Pon a reducir, a fuego lento, los vinagres y el azúcar en una cazuela. A los 10 minutos pica unas 6 hojas de menta y añádelas.

Enrosca las tiras de salmón sobre sí mismas de forma que quede como un caracol y pínchalas con un palito de brocheta.

Salpimiéntalas y cocínalas sobre la plancha bien caliente durante un par de minutos por cada lado.

Limpia el calabacín, córtalo en bastones gruesos, sazónalos y saltéalos en una sartén con aceite.

El toque de Karlos

Las hojas de menta tienen múltiples aplicaciones.
• Resulta una hierba deliciosa para tomar en infusión y aromatizar vinagres y aceites.
• Las hojas frescas añaden sabor a platos de patatas, sopas, ensaladas y postres. Es una planta típica en la cocina inglesa en platos de caza y cordero.

BRICK DE CHIPIRONES AL VAPOR

Verano

Ingredientes

4 personas

12 chipirones
1 cebolla
1 puerro
1 pimiento verde
½ pimiento rojo
6 hojas de pasta brick
1 cucharadita de harina
½ vaso de vino blanco
agua
aceite de oliva virgen
sal
perejil

Análisis nutricional
(ración)

kilocalorías	333
proteínas	23 g
carbohidratos	14 g
total grasas	19 g
monoinsaturadas	10 g
poliinsaturadas	2 g
saturadas	2 g
colesterol	266 mg
fibra	2 g

Elaboración

Pica el puerro y los pimientos y ponlos a pochar en una sartén con un poco de aceite.

Pica la cebolla finamente y ponla a pochar en una cazuela con un poco de aceite. Añade la harina, rehógala un poco y vierte el vino. Limpia los chipirones, pon las tintas en una jarrita con un poco de agua y tritúralas con la batidora y añádelas a la cazuela. Cocina durante unos 5 minutos.

Pon un poco de agua en la olla rápida, añade un puñadito de sal y unas ramas de perejil. Coloca el accesorio para cocer al vapor y extiende encima los chipirones, sazónalos y pon la tapa (posición 2). Deja cocer durante 3 minutos desde el momento en que empiece a salir el vapor. Retíralos y escúrrelos sobre un plato forrado con papel absorbente de cocina.

Rellena los chipirones con la fritada de verduras y envuelve cada uno con media hoja de pasta brick. Fríelos en una sartén con aceite y sirve. Acompaña con la salsa y decora con los tentáculos. Espolvorea con un poco de perejil picado.

Pica el puerro y los pimientos y ponlos a pochar en una sartén con un poco de aceite.

Limpia los chipirones, pon las tintas en una jarrita con un poco de agua y tritúralas con la batidora y añádelas a la cazuela.

Coloca el accesorio para cocer al vapor y extiende encima los chipirones, sazónalos y pon la tapa.

Rellena los chipirones con la fritada de verduras y envuelve cada uno con media hoja de pasta brick. Fríelos en una sartén con aceite y sirve.

El toque de Karlos

Para que sea más dócil y fácil de manipular, unta la pasta brick con un poco de mantequilla. Se puede hacer frita o en el horno. El tiempo necesario para que se dore la pasta a 180 grados es aproximadamente 5 minutos.

CALDERETA DE ITSASKABRA

Otoño

Ingredientes

4 personas

1,5 kg de itsaskabra
4 patatas
1 cebolla
3 dientes de ajo
1 pimiento verde
3 tomates maduros
1 yema de huevo cocida
1 l de agua
aceite de oliva virgen
sal
pimienta
pimentón
perejil picado

Elaboración

Pica la cebolla en juliana fina y ponla a pochar en una cazuela con aceite. Antes de que se dore agrega 2 dientes de ajo cortados en láminas y el pimiento picado en dados.

Pela, ralla los tomates e incorpóralos. Mezcla bien y cocínalos durante un par de minutos. Agrega el agua.

Pela las patatas, córtalas en rodajas gruesas (unos 3 centímetros) y añádelas. Deja cocer durante 15 minutos.

Trocea el pescado en rodajas, salpimiéntalo y agrégalo a la cazuela. Maja en el mortero el otro diente de ajo, la yema y un poco de pimentón. Incorpóralo al guiso y deja cocer durante 5 minutos.

Sirve en un plato y espolvorea con perejil picado.

Pica la cebolla en juliana y ponla a pochar en una cazuela con aceite.

Pela, ralla los tomates e incorpóralos. Mezcla bien y cocínalos durante un par de minutos.

Análisis nutricional
(ración)

kilocalorías	466
proteínas	32 g
carbohidratos	41 g
total grasas	21 g
monoinsaturadas	10 g
poliinsaturadas	2 g
saturadas	2 g
colesterol	74 mg
fibra	5 g

Pela las patatas, córtalas en rodajas gruesas (de unos 3 centímetros) y añádelas. Deja cocer durante 15 minutos.

Trocea el pescado en rodajas, salpimiéntalo y agrégalo a la cazuela.

El toque de Karlos

Para mejorar la caldereta, corta una barra de pan en rebanadas finas y tuéstalas en el horno. Es importante que no cojan mucho color porque estropearían el sabor del plato. A la hora de servir, coloca 2-3 rebanadas en cada plato y sirve encima la caldereta.

BARRITAS DE TRUCHAS CON "2 SALSAS"

Otoño

Ingredientes
4 personas

600 g de trucha limpia
1 paquete de canónigos
2 huevos
harina
pan rallado
aceite de oliva virgen
vinagre
sal
pimienta

Para la salsa de cebolla
1 cebolla roja
8 almendras
1 vaso de vino blanco
½ vaso de agua
aceite de oliva virgen

Para la salsa de mostaza
3 yemas de huevo
una clara de huevo
1 cucharada de mostaza
1 cucharada de alcaparras
aceite de oliva virgen
vinagre al estragón

Análisis nutricional
(ración)

kilocalorías	378
proteínas	35 g
carbohidratos	15 g
total grasas	16 g
monoinsaturadas	6 g
poliinsaturadas	3 g
saturadas	3 g
colesterol	408 mg
fibra	3 g

Elaboración

Para la salsa de cebolla, pica la cebolla y ponla a dorar en una cazuela con un poco de aceite. Pica las almendras e incorpóralas. Sazona, vierte el vino y el agua y deja reducir a fuego alto durante 10 minutos. Tritura con una batidora eléctrica y reserva al fuego. Sirve en una salsera.

Corta los filetes de trucha en bastones. Salpiméntalos, pásalos por harina, huevo batido y pan rallado y fríelos brevemente por los 2 lados en una sartén con aceite. Escúrrelos sobre una fuente forrada con papel absorbente de cocina.

Para la salsa de mostaza, pon en una jarra las 3 yemas, una pizca de sal y un chorro de aceite de oliva. Tritura con una batidora eléctrica y añade aceite poco a poco hasta que quede una crema blanquecina. Pasa a un bol y agrega la mostaza, un chorrito de vinagre, las alcaparras picadas y la clara montada a punto de nieve. Mezcla bien y sirve en una salsera.

Limpia los canónigos bajo el grifo, escúrrelos y ponlos en una ensaladera. Aliña con aceite, vinagre y sal. Sirve en una fuente amplia, los canónigos en el centro y las barritas alrededor. Acompaña con las salsas.

Sazona, vierte el vino y el agua y deja reducir a fuego alto durante 10 minutos.

Corta los filetes de trucha en bastones. Salpiméntalos, pásalos por harina, huevo batido y pan rallado y fríelos brevemente.

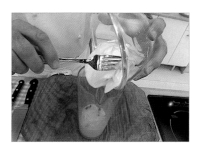

Para la salsa de mostaza, pon en una jarra las 3 yemas, una pizca de sal y un chorro de aceite de oliva.

Limpia los canónigos bajo el grifo, escúrrelos y ponlos en una ensaladera. Aliña con aceite, vinagre y sal.

El toque de Karlos

La carne de la trucha es de excelente calidad, blanca o asalmonada, baja en calorías y alto contenido proteico. Cada 100 g de filete de trucha contienen 1,1 g de ácido graso omega 3, grasa beneficiosa que previene las enfermedades cardiovasculares.

PLATUSA A LA PLANCHA CON SALSA DE NARANJA Y ESTRAGÓN

Otoño

Ingredientes

4 personas

800 g de platusa limpia
2 cebolletas
1 puerro
2 zanahorias
8 espárragos verdes
½ calabacín
2 cucharadas de salsa de soja
2 dientes de ajo
zumo de 3 naranjas
1 cucharada de harina
aceite de oliva virgen
sal
pimienta
1 trocito de guindilla
unas hojas de estragón

Elaboración

Pica una cebolleta en juliana. Corta el puerro, las zanahorias, el calabacín y los espárragos verdes en bastones finos. Pon todo a pochar en una sartén con un poco de aceite. Sazona y cocina a fuego suave durante 10 minutos aproximadamente. Riega con la salsa de soja.

Pica finamente la otra cebolleta y los 2 dientes de ajo. Ponlos a pochar en una sartén con un poco de aceite. Antes de que se doren añade la harina, rehoga brevemente y vierte el zumo de las naranjas, una pizca de sal, el trocito de guindilla y las hojas de estragón picadas. Cocina a fuego suave durante unos 5 minutos.

Salpimienta los trozos de platusa, riégalos con un chorro de aceite y cocínalos a la plancha.

Sirve el pescado, salséalo con la salsa de naranja y acompáñalo con las verduras.

Análisis nutricional
(ración)

kilocalorías...................................... 387
proteínas.. 38 g
carbohidratos........................... 19 g
total grasas............................... 18 g
   monoinsaturadas.............. 10 g
   poliinsaturadas.................... 2 g
   saturadas............................ 2 g
colesterol........................... 84 mg
fibra.. 4 g

Pica una cebolleta en juliana. Corta el puerro, las zanahorias, el calabacín y los espárragos verdes en bastones finos.

Añade la harina, rehoga brevemente y vierte el zumo de las naranjas, una pizca de sal, el trocito de guindilla y las hojas de estragón picadas.

Salpimienta los trozos de platusa, riégalos con un chorro de aceite y cocínalos a la plancha.

Sirve el pescado, salséalo con la salsa de naranja y acompáñalo con las verduras.

El toque de Karlos

La platusa, también llamada platija, platuja o platecha, es un pescado blanco con bajo contenido en grasa, muy recomendable para aquellas personas que tienen que llevar una dieta hipocalórica.

CARRILLERAS DE RAPE EN SALSA AMERICANA

Otoño

Ingredientes

4 personas

800 g de carrilleras de rape
4 langostinos
2 carabineros
2 nécoras
2 tomates maduros
1-2 cebolletas
3 chalotas
½ litro de caldo de pescado
1 copita de brandy
2 dientes de ajo
2 cucharaditas de harina
aceite de oliva virgen
sal
pimienta
1 ramita de estragón
perejil

Elaboración

Pica las cebolletas, las chalotas y los dientes de ajo. Póchalos en una cazuela con un poquito de aceite. Vierte media copita de brandy y flambea hasta que se queme el alcohol. Añade la ramita de estragón. Trocea los tomates y añádelos a la cazuela, remueve y deja pochar la verdura durante 5 minutos.

Trocea los 2 carabineros (la cabeza también), las dos nécoras y las cabezas de los langostinos. Añádelos a la cazuela y rehoga bien.

Añade un poquito de harina y cocina un poco. Moja todo con el caldo de pescado y deja hervir durante 30 minutos a fuego lento. Después, tritura todo con la batidora y pásalo por el colador o chino. Reserva.

Limpia bien las carrilleras, retirándoles las telillas. Salpimienta y saltéalas en una sartén con un poco de aceite. Pela las colas de los langostinos y saltéalos junto con las carrilleras. Añade el resto del brandy y flambea. Añade un poco de la salsa a la sartén y deja hervir un minuto. Espolvorea con perejil picado y sirve.

Análisis nutricional
(ración)

kilocalorías.................................. 423
proteínas.................................. 43 g
carbohidratos....................... 11 g
total grasas............................. 20 g
   monoinsaturadas.............. 10 g
   poliinsaturadas................... 4 g
   saturadas........................... 3 g
colesterol......................... 142 mg
fibra.. 2 g

Pica las cebolletas, las chalotas y los dientes de ajo. Póchalos en una cazuela con un poquito de aceite.

Trocea los 2 carabineros, las dos nécoras y las cabezas de los langostinos. Añádelos a la cazuela y rehoga bien.

Añade un poquito de harina y cocina un poco. Moja todo con el caldo de pescado y deja hervir durante 30 minutos a fuego lento.

Añade el resto del brandy y flambea. Añade un poco de la salsa a la sartén y deja hervir un minuto.

El toque de Karlos

Una vez en casa, y antes de cocinar las carrilleras de rape, conviene retirarles la telilla que las cubre y después fileteálas en dos. De esta forma no se encogerán cuando reciban el calor.

POPIETAS DE GALLO CON CREMA DE ESPÁRRAGOS VERDES

Otoño

Ingredientes

4 personas

12 filetes de gallo
12 zanahorias pequeñas
12 espárragos verdes
1 puerro
1 cebolleta
¾ de l de caldo de verduras
aceite de oliva virgen
sal
pimienta

Elaboración

Pica el puerro y la cebolleta y pon a pochar en la olla rápida con un poco de aceite. Pela las zanahorias, corta los espárragos verdes, separando las puntas de los tallos. Añade los tallos de los espárragos y rehoga todo un poco.

Vierte el caldo (reserva un poco). Coloca las zanahorias y los espárragos en el accesorio para cocer al vapor y encájalo en la olla. Cierra la olla y cuece durante un par de minutos desde el momento en que empiece a salir el vapor.

Retira el accesorio con los espárragos y las zanahorias y tritura la salsa con una batidora eléctrica.

Sazona los filetes de pescado, extiéndelos sobre una superficie plana, dejando la parte de la piel hacia arriba. Coloca en el centro de cada uno una zanahoria y un espárrago. Enróllalos sobre sí mismos, colócalos en una fuente apta para el horno, espolvoréalos con un poco de pimienta y riégalos con un poco del caldo de verduras. Introdúcelos en el horno a 210 grados durante 5 minutos.

Sirve la crema de espárragos en el fondo de una fuente amplia y coloca encima las popietas.

Pica el puerro y la cebolleta y pon a pochar en la olla rápida.

Coloca las zanahorias y los espárragos en el accesorio para cocer al vapor y encájalo en la olla.

Análisis nutricional
(ración)

kilocalorías................................. 505
proteínas................................. 61 g
carbohidratos....................... 16 g
total grasas.............................. 22 g
  monoinsaturadas.............. 11 g
  poliinsaturadas................... 4 g
  saturadas.......................... 3 g
colesterol........................ 224 mg
fibra... 6 g

Retira el accesorio con los espárragos y las zanahorias y tritura la salsa con una batidora eléctrica.

Coloca en el centro de cada filete, una zanahoria y un espárrago. Enróllalos sobre sí mismos.

El toque de Karlos

Si no consigues zanahorias pequeñas puedes tornear las que tengas con un pelador de verduras hasta conseguir el tamaño y la forma que desees.

SALVERA EN TEMPURA CON PIMIENTOS MORRONES ASADOS

Otoño

Ingredientes

4 personas

4 salveras grandes
2 pimientos morrones
2 dientes de ajo
150 g de harina de tempura
200 ml de agua
aceite de oliva virgen
sal
azúcar
pimienta
ramitas de perejil

Elaboración

Limpia los pimientos con agua. Colócalos en una fuente de hornear, riégalos con aceite y sazónalos. Introdúcelos en el horno a 180 grados durante 35-40 minutos.

Deja que se templen un poco, pélalos y córtalos en tiras. Colócalos en una fuente, pica el diente de ajo y añádelo. Riégalos con aceite, agrega una pizca de sal y una pizca de azúcar, mezcla un poco y reserva.

Limpia bien el pescado, córtale los pinchos laterales y frontales con unas tijeras. Saca los filetes, córtalos en bastones de 2 x 5 cm y salpiméntalos.

Mezcla la harina de la tempura con agua fría (agrega la cantidad que indique el sobre). Pasa los bastones de pescado por la mezcla y fríelos por los 2 lados en una sartén con aceite y un diente de ajo. Escúrrelos sobre un plato forrado con papel absorbente. Sirve el pescado, acompáñalo con los pimientos y decora con una rama de perejil.

Análisis nutricional
(ración)

kilocalorías.................................. 450
proteínas.............................. 34 g
carbohidratos....................... 31 g
total grasas............................. 22 g
   monoinsaturadas.............. 13 g
   poliinsaturadas................... 3 g
   saturadas........................... 3 g
colesterol....................... 114 mg
fibra... 2 g

Limpia los pimientos con agua. Colócalos en una fuente de hornear, riégalos con aceite y sazónalos.

Deja que se templen un poco, pélalos y córtalos en tiras. Colócalos en una fuente, pica el diente de ajo y añádelo.

Limpia bien el pescado, córtale los pinchos laterales y frontales con unas tijeras. Saca los filetes y córtalos en bastones.

Mezcla la harina de la tempura con agua fría. Pasa los bastones de pescado por la mezcla y fríelos por los 2 lados.

El toque de Karlos

El aceite de oliva es el más recomendable para las frituras porque es el que puede alcanzar mayores temperaturas sin sufrir alteraciones.

MEDIANA CON PURÉ DE CEBOLLA

Otoño

Ingredientes

4 personas

1 mediana de 1,2 kg
4 cebollas
1 patata
16 espárragos verdes
agua
aceite de oliva virgen
sal
perejil

Elaboración

Pon la patata a cocer en una cazuela grande con agua y una pizca de sal. Cuando esté cocida (25 minutos) deja que se temple y pélala.

Pica las cebollas, ponlas a pochar en una sartén con un poco de aceite y una pizca de sal. Cuando estén bien doradas, pica la patata y añádela. Pasa todo por el pasapurés y reserva.

Corta el cogote del pescado y resérvalo para otra ocasión. Corta la mediana en 4 rodajas gruesas. Riégalas con un poco de aceite, sazónalas y cocínalas sobre la plancha durante 3-4 minutos por cada lado.

Retira la parte inferior del tallo de los espárragos. Colócalos sobre la plancha, sazónalos, riégalos con un poco de aceite y cocínalos durante 5 minutos. Sirve las rodajas de pescado y acompaña con el puré de cebolla y los espárragos. Espolvorea con un poco de perejil picado.

Pica las patatas encima de las cebollas pochadas.

Pasa todo por el pasaspurés y reserva aparte.

Análisis nutricional
(ración)

kilocalorías	404
proteínas	41 g
carbohidratos	15 g
total grasas	20 g
monoinsaturadas	11 g
poliinsaturadas	3 g
saturadas	3 g
colesterol	201 mg
fibra	5 g

Corta la mediana en rodajas gruesas. Riégalas con un poco de aceite, sazónalas y cocínalas sobre la plancha durante 3-4 minutos por cada lado.

Colócalos sobre la plancha, sazónalos, riégalos con un poco de aceite y cocínalos durante 5 minutos.

El toque de Karlos

Si tienes oportunidad de elegir la pieza, recuerda que las hembras (siempre más jugosas) suelen tener la cabeza pequeña y el cuerpo corto y gordo. Para comprobar su frescura basta con pasar un dedo a contraescama: cuantas menos escamas caigan más fresco está el pescado.

DORADA CON PATATAS PANADERA

Invierno

Ingredientes

4 personas

1 dorada hermosa
5 patatas
2 cebolletas
1 pimiento verde
1 puerro
5 dientes de ajo
½ guindilla
1 vaso de vino blanco
agua
aceite de oliva virgen
sal
perejil

Análisis nutricional
(ración)

kilocalorías...................................... 477
proteínas...................................... 32 g
carbohidratos......................... 37 g
total grasas............................... 20 g
    monoinsaturadas.............. 11 g
    poliinsaturadas.................... 3 g
    saturadas............................ 3 g
colesterol.......................... 63 mg
fibra.. 5 g

Elaboración

Pide al pescadero que te limpie y filetee la dorada (reserva la espina y la cola). Pon la espina y la cola del pescado en una cazuela con agua. Añade el puerro, unas ramas de perejil y una pizca de sal. Deja cocer durante 20 minutos.

Pela las patatas, córtalas en medias lunas y ponlas a freír en una sartén con aceite. Pica 2 dientes de ajo en láminas e incorpóralos. Corta la cebolla y el pimiento en juliana gruesa. Incorpóralos a la sartén y sazona. Cocina todo junto durante unos 10-15 minutos.

Pasa las patatas a la bandeja del horno, sazona los filetes de pescado y colócalos encima. Vierte el vino blanco e introduce en el horno a 180 grados durante 12 minutos. Retira la bandeja del horno. Corta los otros 3 dientes de ajo en láminas finas y ponlas a dorar en una sartén con aceite. Antes de que se doren agrega unas rodajas de guindilla y un poco de perejil picado, saltea brevemente y riega el pescado.

Coloca los filetes de dorada y las patatas en una fuente amplia. Pasa el caldo de la fuente del horno a una cazuelita, agrega un poco del fumet y dale un hervor. Espolvorea con perejil picado y riégalo con la salsa.

Pon la espina y la cola del pescado en una cazuela con agua. Añade el puerro, unas ramas de perejil y una pizca de sal.

Pela las patatas, córtalas en medias lunas y ponlas a freír en una sartén con aceite. Pica 2 dientes de ajo en láminas e incorpóralos.

Pasa las patatas a la bandeja del horno, sazona los filetes de pescado y colócalos encima. Vierte el vino blanco e introduce en el horno.

Espolvorea el caldo con perejil picado y riégalo con la salsa.

El toque de Karlos

Si queréis hacer un plato un poco más ligero podéis prescindir de las patatas panadera. Os sugiero que acompañéis a esta deliciosa dorada con una buena ensalada de lechuga o escarola.

SALMONETES EN PAPILLOTE

Invierno

Ingredientes

4 personas

6 salmonetes
200 g de judías verdes
2 zanahorias
2 cebolletas
2 puerros
1 pimiento
1 diente de ajo
1 calabacín
12 ajos frescos
12 espárragos verdes
4 cucharadas de vino blanco
aceite de oliva virgen
sal

Elaboración

Corta las judías, las zanahorias, las cebolletas, los puerros y el pimiento en juliana fina y el diente de ajo en láminas. Pon a rehogar en una sartén con un poco de aceite.

Limpia o pide al pescadero que te limpie los salmonetes retirándoles, cabeza, tripas y espina central de forma que te salgan 2 filetes por salmonete.

Limpia los ajos frescos y los espárragos, retirándoles la parte baja del tallo. Sálalos y fríelos en una sartén con un poco de aceite.

Corta 4 trozos grandes de papel de aluminio y extiéndelos sobre una superficie plana. Corta el calabacín en rodajas finas y pon unas 6-8 rodajas sobre cada papel de aluminio. Pon encima unas verduras salteadas y encima 3 filetes de salmonete. Sazona y riégalos con una cucharada de vino blanco y un chorrito de aceite.

Cierra los paquetes herméticamente, colócalos sobre un par de bandejas de horno e introduce en el horno (previamente calentado) a 200 grados durante 6-8 minutos o hasta que se inflen. Para servir, abre los paquetes con unas tijeras y sirve en cada uno unos ajos frescos y unos espárragos.

Análisis nutricional
(ración)

kilocalorías....................................... 392
proteínas... 28 g
carbohidratos.................................... 22 g
total grasas....................................... 21 g
    monoinsaturadas.............. 11 g
    poliinsaturadas.................... 2 g
    saturadas............................. 3 g
colesterol.......................... 73 mg
fibra.. 7 g

Corta las judías, las zanahorias, las cebolletas, los puerros y el pimiento en juliana fina y el diente de ajo en láminas.

Limpia los ajos frescos y los espárragos, retirándoles la parte baja del tallo. Sálalos y fríelos en una sartén con un poco de aceite.

Pon unas 6-8 rodajas de calabacín sobre cada papel de aluminio. Pon encima unas verduras salteadas y encima 3 filetes de salmonete.

Cierra los paquetes herméticamente, colócalos sobre un par de bandejas de horno e introduce en el horno a 200 grados unos 6-8 minutos.

El toque de Karlos

El papillote es una técnica rápida y sencilla de cocinar. Consiste en envolver los ingredientes en papel de aluminio formando un paquete bien cerrado, para someterlos a una cocción intensa y corta, en la que apenas se pierden vitaminas y nutrientes.

RAPE AL HORNO CON REFRITO

Invierno

Ingredientes

4 personas

1 rape de 2 kg
4 patatas
2 cebolletas
1 pimiento verde
4 dientes de ajo
1 trocito de guindilla
aceite de oliva virgen
vinagre
sal
perejil picado

Elaboración

Pela las patatas y córtalas en rodajas de medio centímetro. Ponlas a freír en una sartén con aceite. Cocínalas un poco (5 minutos), pica el pimiento, las cebolletas en dados y 2 dientes de ajo en láminas. Añádelos a la sartén y fríe todo junto durante unos 6-8 minutos.

Cuando estén casi hechas sácalas y extiéndelas (dejando un espacio libre para colocar el pescado) sobre una placa de horno.

Sazona el rape, colócalo sobre la placa, riégalo con un poco del aceite resultante de freír las patatas e introdúcelo en el horno a 200 grados durante 15-18 minutos.

Riega el pescado con un chorrito de vinagre. Pela y filetea los otros dientes de ajo. Ponlos a freír junto con la guindilla en una sartén con aceite. Cuando se doren, riega el pescado.

Sirve el pescado en una fuente amplia, liga la salsa al calor y riega el rape, y espolvorea con perejil picado.

Análisis nutricional
(ración)

kilocalorías................................... 436
proteínas................................... 39 g
carbohidratos......................... 28 g
total grasas........................... 19 g
   monoinsaturadas.............. 10 g
   poliinsaturadas.................... 4 g
   saturadas............................ 3 g
colesterol......................... 100 mg
fibra... 4 g

Pon las patatas, el pimiento, las cebollas y los ajos a freír en una sartén con aceite.

Cuando estén casi hechas sácalas y extiéndelas sobre una placa de horno.

Sazona el rape, colócalo sobre la placa, riégalo con un poco del aceite resultante de freír las patatas e introdúcelo en el horno.

Pela y filetea 2 dientes de ajo. Ponlos a freír junto con la guindilla en una sartén con aceite.

El toque de Karlos

Al no tener espinas, el rape resulta muy apropiado para quienes sienten cierto rechazo hacia el pescado debido a ellas.

CAZUELA DE RAYA

Invierno

Ingredientes

4 personas

800 g de aletas de raya
8 mejillones
8 patatas pequeñas
4 dientes de ajo
1 cucharada de harina
1 copa de vino blanco
½ litro de caldo de pescado
aceite de oliva virgen
agua
sal
pimienta
1 cucharadita de pimentón
perejil

Elaboración

Limpia las patatitas, ponlas (sin pelar) en la olla rápida. Cúbrelas con agua y añade una pizca de sal, pon la tapa y déjalas cocer durante 5 minutos. Deja que se templen.

Pica 3 dientes de ajo en láminas y fríelos en una cazuela con un poco de aceite. Incorpora la harina, rehógala un poco y vierte el vino blanco y el caldo de pescado. Espolvorea con perejil picado y mezcla. Limpia los mejillones (retirándoles todas las impurezas y barbas que puedan tener) y añádelos. Cuando se abran, retíralos a un plato.

Corta las aletas de raya en trozos siguiendo el cartílago. Salpimiéntalas, incorpóralas a la cazuela y cocínalas durante 3 minutos. Añade de nuevo los mejillones, dale un hervor y reserva.

Pela las patatas y córtalas en rodajas gruesas, pica el diente de ajo finamente y añádelo por encima. Sazónalas, riégalas con un chorro de aceite y espolvoréalas con el pimentón. Sírvelas para acompañar el guiso.

Análisis nutricional
(ración)

kilocalorías...................................... 422
proteínas.. 40 g
carbohidratos........................ 22 g
total grasas............................... 17 g
    monoinsaturadas.............. 10 g
    poliinsaturadas................... 3 g
    saturadas............................ 2 g
colesterol......................... 108 mg
fibra... 2 g

Limpia las patatitas, ponlas en la olla rápida. Cúbrelas con agua y añade una pizca de sal, pon la tapa y déjalas cocer durante 5 minutos.

Incorpora la harina, rehógala un poco y vierte el vino blanco y el caldo de pescado y añade los mejillones.

Salpimienta las aletas de raya e incorpóralas a la cazuela con los mejillones.

Pela las patatas y córtalas en rodajas gruesas, pica el diente de ajo finamente y añádelo por encima.

El toque de Karlos

Las aletas de la raya se comen sin piel y son un manjar, puesto que, en vez de espinas, tienen cartílagos. Si las aletas son pequeñas se pueden comer friéndolas directamente, pero si son grandes conviene darles un hervor.

LANGOSTINOS EN SALSA CON ARROZ BASMATI

Invierno

Ingredientes
4 personas

16-20 langostinos
250 g arroz basmati
200 g de panceta
2 tomates
1 cebolla
1 pimiento verde
½ pimiento morrón
3 dientes de ajo
½ copa de brandy
agua
aceite de oliva virgen
sal
pimienta
una pizca de estragón
perejil

Elaboración

Pela los langostinos, pon las cabezas y las cáscaras a cocer en una cazuela con agua, una pizca de sal y unas ramas de perejil. Cuando empiece a hervir desespuma, deja cocer durante 10 minutos y cuélalo.

Corta la panceta en daditos y ponla a freír en una cazuela con un poco de aceite. Pica un diente de ajo, la cebolla, los pimientos e incorpóralos. Deja pochar bien. Pela los tomates, córtalos en dados e incorpóralos. Sazona y cocina durante unos 10-15 minutos, espolvorea con el estragón y mezcla bien.

Corta los langostinos por la mitad a lo largo sin soltarlos del todo. Salpimiéntalos y saltéalos brevemente en una sartén con un poco de aceite y un diente de ajo picado. Vierte el brandy y flambea. Añádelos a la cazuela de la salsa y vuelve a mezclar.

Corta un diente de ajo en láminas y dóralo un poco en una cazuela con aceite, añade el arroz y el caldo de langostinos. Sazona y deja cocer durante 10-12 minutos. Sirve el arroz y los langostinos y decora con unas hojas de perejil.

Análisis nutricional
(ración)

kilocalorías	712
proteínas	24 g
carbohidratos	58 g
total grasas	41 g
monoinsaturadas	20 g
poliinsaturadas	10 g
saturadas	11 g
colesterol	98 mg
fibra	2 g

Pela los langostinos, pon las cabezas y las cáscaras a cocer en una cazuela con agua, una pizca de sal y unas ramas de perejil.

Corta la panceta en daditos y ponla a freír en una cazuela con un poco de aceite. Pica un diente de ajo, la cebolla, los pimientos e incorpora.

Corta los langostinos por la mitad a lo largo sin soltarlos del todo. Salpimiéntalos y saltéalos brevemente en una sartén.

Corta un diente de ajo en láminas y dóralo un poco en una cazuela con aceite, añade el arroz y el caldo de langostinos.

El toque de Karlos

Cuando vayas a colar un caldo y no quieras que traspase ninguna impureza, lo mejor será que utilices un colador de tela o un filtro de papel de los que se utilizan para hacer café.